# HENRIQUE PRATA

# A PROVIDÊNCIA

## OS MILAGRES QUE LEVAM A FILOSOFIA DO HOSPITAL DE CÂNCER DE BARRETOS PARA TODO O BRASIL

**Diretora**
Rosely Boschini

**Gerente Editorial**
Rosângela de Araujo Pinheiro Barbosa

**Assistente Editorial**
Natália Mori Marques

**Controle de Produção**
Karina Groschitz

**Projeto gráfico e Diagramação**
Vanessa Lima

**Revisão**
Vero Verbo Serviços Editoriais

**Imagens de capa e miolo**
Arquivo de imagens do
Hospital de Câncer de Barretos

**Imagem da página 34**
Valdir Cruz

**Capa**
Sérgio Rossi

**Impressão**
Gráfica Rettec

Copyright © 2017 by Henrique Prata
Todos os direitos desta edição são
reservados à Editora Gente.
Rua Pedro Soares de Almeida, 114,
São Paulo, SP – CEP 05029-030
Telefone: (11) 3670-2500
Site: http://www.editoragente.com.br
E-mail: gente@editoragente.com.br

Dados Internacionais de Catalogação na Publicação (CIP)
Angélica Ilacqua CRB-8/7057

Prata, Henrique
A providência : os milagres que levam a filosofia do Hospital de Câncer de Barretos para todo o Brasil/ Henrique Prata. – São Paulo : Editora Gente, 2017.
160 p.

ISBN: 978-85-452-0177-9

1. Hospital de Câncer de Barretos 2. Hospitais – Barretos (SP) – Administração I. Título

| 17-0875 | CDD 362.11098161 |
|---|---|

Índices para catálogo sistemático:
1. Hospital de Câncer de Barretos – Administração 362.11098161

*Fé é acreditar que,
se fizermos o nosso possível,
Deus fará o impossível
por (meio de) nós.*

HENRIQUE PRATA

Dedico este livro a meu pai, minha mãe,
meus filhos e meus netos.

# SUMÁRIO

**Capítulo 1**
Um chamado de Deus.................................................................................9

Fotolito da carta da doutora Scylla Prata por ocasião
do aniversário de 18 anos de seu fillho Henrique.................................17

**Capítulo 2**
Como o livro *Acima de Tudo o Amor*
inspirou uma cidade inteira ...................................................................21

**Capítulo 3**
Como surgiu o programa de
televisão *Acima de Tudo o Amor*.............................................................31

**Capítulo 4**
Um pedido especial................................................................................ 43

**Capítulo 5**
A parceria com o Instituto Ronald McDonald.........................................57

**Capítulo 6**
Os onze princípios básicos
de uma gestão humanizada................................................................... 69

**Capítulo 7**
Um teste de fé........................................................................................ 85

**Capítulo 8**
A construção do Hospital de Câncer da Amazônia................................ 93

**Capítulo 9**
O credenciamento das unidades
de Jales e Fernandópolis................................................................115

**Capítulo 10**
A criação do Centro de Pesquisa Molecular
e da Unidade de Prevenção em Campinas.......................................127

**Capítulo 11**
Convite à ação................................................................................139

**Posfácio**
Um Elias de nosso tempo................................................................147

# CAPÍTULO 1

## Um chamado de Deus

Há pouco mais de cinco anos, eu escrevi o livro *Acima de Tudo o Amor*, no qual contei a história do Hospital de Câncer de Barretos (HCB), desde sua fundação por meus pais, doutor Paulo e doutora Scylla Prata, em 1962, aos dias de hoje, sob a minha direção. Uma instituição baseada no amor e na fé de uma família temente a Deus. Nesse intervalo, vendemos aproximadamente 140 mil exemplares do livro, dos quais a maior parte foi vendida nos Correios e no próprio HCB, o que muito me alegra. De lá para cá, tenho colhido inúmeros relatos de pessoas que foram tocadas pelo meu testemunho. Não há uma semana sequer que eu não seja abordado no Hospital por alguém para me pedir uma dedicatória ou simplesmente me contar que o livro lhe trouxe esperança. A procura vem de gente do Hospital, como pacientes e familiares, mas também de pessoas de fora, que nunca passaram pela nossa instituição. Muitas delas entenderam que um leigo também pode salvar vidas e, cada uma à sua maneira, contou-me que a leitura lhe restabeleceu a fé, tanto em Deus quanto na humanidade.

Quando publiquei aquela obra, entretanto, confesso que jamais imaginei a proporção que ela tomaria. Nunca pensei que, por causa dela, conseguiria dar o pontapé inicial para tirar do papel meu projeto de construção do Hospital de Câncer da Amazônia. Ou que modificaria a vida de uma cidade inteira, a ponto de ela se espelhar em nosso exemplo para assumir um hospital prestes a fechar suas portas. E, ainda, que eu seria o apresentador de um programa de TV baseado no livro, transmitido pela Rede Vida de Televisão, e chegaria até os lares de pessoas Brasil afora com a minha mensagem. Penso que existam duas razões pelas quais eu tenha, humildemente, emocionado tantas pessoas. A primeira é porque escrevo com o coração. E a segunda, porque sou fiel aos valores em que acredito. Pois todos os dias, acordo, trabalho e vivo pela fé. Uma prova que dou a vocês agora mesmo, antes de começar esta nova narração, é o último balanço anual do HCB, já auditado. Conforme apresentei no meu programa, esse documento mostra que, mensalmente, trabalhamos com um déficit de 20.857.000 reais.[1] Montante que conseguimos levantar por meio de doações e eventos beneficentes com o apoio de nossos voluntários. Todos os meses.

Por causa desse milagre que presencio no dia a dia, acredito que quando uma obra tem o intuito de fazer o bem ao próximo, com

---

1  O balanço completo está em nosso site: <www.hcancerbarretos.com.br/balanco>

transparência e honestidade, ela carrega consigo as bênçãos de Deus. Ainda que nem sempre me deem razão, como você verá em alguns fatos que vou contar mais adiante, ou que falte o dinheiro, eu faço a minha parte — e a Providência faz a dela. E agora sinto que devo levar essa mensagem para mais gente, com este novo livro, contando sobre os frutos que colhi desde o lançamento do primeiro. Convidei meu filho mais velho, Henrique Moraes Prata, para participar comigo de tamanho desafio. Ele, que já era meu consultor em alguns projetos do Hospital informalmente, juntou-se à nossa equipe no escritório de São Paulo tempos depois da publicação de *Acima de Tudo o Amor*. Episódio que também atribuo à Providência, uma vez que esse suporte facilitou meu trabalho como gestor, principalmente por reduzir minhas viagens à capital paulista. Disso, porém, falarei com detalhes mais adiante.

Henrique e minha sobrinha Cristina, que é médica e também trabalha conosco no Hospital, são a quinta geração de nossa família que traz esse traço humanista. Em 2015, em uma visita à região do município de Lagarto, no interior do Sergipe, onde nasceu meu avô paterno, o escritor e médico Ranulfo Prata, Henrique e eu descobrimos algo que nos surpreendeu. Até então, acreditávamos que a nossa ligação com o atendimento humanizado havia começado com meu avô, mas, na verdade, esse trabalho teve origem com a mãe dele, minha bisavó, dona Anna Hora Prata. Casada com um coronel rico, ela fundou a primeira Casa de Misericórdia, em Simão Dias, em 2 de março de 1919, a primeira da região. Lá, montou dezoito leitos para

Retrato da dona Anna Hora Prata

atender pacientes carentes e indigentes, tirando do próprio bolso o pagamento dos médicos (que mandava buscar na capital a cavalo) e de todo o tratamento. Em 2016, vale destacar, uma de nossas carretas (unidades móveis de prevenção contra o câncer) visitou a região e em 2017 inauguramos uma unidade de prevenção em Lagarto — foi a maneira que encontramos de homenagear aquele lugarejo onde tudo começou. Depois de dona Anna (Donana, como era conhecida), então, a nossa missão continuou com meu avô, radiologista que atuou na região de Santos (SP) e, na sequência, com meu pai, já no HCB. Ainda assim, nunca obriguei nenhum de meus filhos a seguir os passos de nossa família, por isso, a adesão de Henrique ao HCB foi somente por amor. A minha própria entrada no Hospital, aliás,

Hospital Bom Jesus, em Simão Dias, fundado por dona Anna Hora Prata

ocorreu de maneira inusitada, conforme narrei no primeiro livro. Sou fazendeiro, parei de estudar cedo, e não tive formação em gestão hospitalar. No entanto, assumi a direção do HCB em meados dos anos 1980, a pedido de Dom Antonio Maria Mucciolo, bispo de Barretos e amigo de meus pais. Naquela época, tinha a intenção de organizar as contas da instituição e encerrar suas atividades em seguida. Meus pais, por sua vez, sabiam que meu papel ali estava apenas começando...

Da esquerda para a direita: Henrique Moraes Prata, doutora Scylla Prata e Cristina Prata Amendola

No dia em que nasci, 18 de dezembro de 1952, minha mãe diz que ela e meu pai viram sobre mim uma luz. Naquele momento, entenderam que eu tinha sido designado por Deus para uma tarefa especial. Algo que ela me contou em uma carta que escreveu para mim, de próprio punho, no dia em que completei 18 anos e estava a caminho de um retiro espiritual com o intuito de aprofundar meus conhecimentos na Palavra de Deus. "O mundo é de Deus e Ele o empresta aos valentes", ela escreveu. Inspirada pelo Espírito Santo, minha mãe profetizou naquela mensagem que eu havia sido escolhido por ter um coração valente. "Vocês não me escolheram, mas eu os escolhi para

16 A PROVIDÊNCIA

irem e darem fruto, fruto que permaneça, a fim de que o Pai lhes concceda o que pedirem em meu nome", continuou, citando o Evangelho de São João (Jo 15,16). Algo que, confesso, não entendi muito bem na época, mas, que fez todo o sentido para mim quando essa carta, que ficou guardada por três décadas, ressurgiu em minha vida há alguns anos. Hoje, entretanto, sei que ao longo de minha trajetória recebi provas contundentes de que a Providência me guia, conforme previram meus pais. E não poderia guardar essas evidências apenas para mim!

Antes de escrever esse testemunho da minha fé, fui até Jaci, no interior de São Paulo, para assistir a uma missa e pedir a bênção do padre Nélio Belotti, o Frei Francisco, que ali fundou e dirige a Associação Lar São Francisco de Assis na Providência de Deus. A entidade está à frente da gestão de hospitais e de outros serviços de saúde, como ambulatórios médicos, prontos-socorros e abrigos para dependentes químicos, entre outros, além de manter uma missão em Porto Príncipe, no Haiti. Há anos, o trabalho de Frei Francisco me encoraja e inspira, não poderia pensar em melhor maneira de iniciar esse projeto. Entretanto, assim como aconteceu no primeiro livro, quando comecei a escrever esta continuação não tinha certeza de qual seria o seu nome. Ao longo do processo narrativo, no entanto, observei que a palavra "providência" permeava todas as histórias. Por motivos óbvios, pensei. Assim, o título *A Providência* foi escolhido com esse propósito: o de mostrar que, ainda que para Deus não exista o tempo, aqueles que se prontificarem a servi-Lo serão chamados em seu devido momento, para sua missão na Terra.

## FOTOLITO DA CARTA DA DOUTORA SCYLLA PRATA POR OCASIÃO DO ANIVERSÁRIO DE 18 ANOS DE SEU FILHO HENRIQUE

1

18 Dezembro 1970

Henrique,
meu querido e muito amado filho,
tenha sempre em mente que: "O mundo é de Deus e Ele o empresta
aos Valentes".

Voltando os olhos para o passado eu
vejo Jesus, na Sua infinita bonda-
de, naquele dezembro de 52 a
antecipar-nos o nosso presente de
natal; naquela madrugada do
dia 18, você, querido, aquele bebê
rochonchudo e lindo (como só os anjos
o podem ser) nos foi dado e entregue
como prêmio e recompensa do
amor — daquele muito amor (que
"Ele" tanto pede aos homens) que sempre
seu pai e eu nos devotamos mutuamente.
E hoje, meu filho, que Ele é teste,
Semunha desta minha grande luta
interior, entre as quedas e o
levantar nesta ânsia imensa de
me curar dia a dia mais, desta
cegueira espiritual que tanto me
amesquinha aos olhos D'Ele e dos
homens — Seus filhos — posso
claramente ver nesta minha

maior aproximação com Êle, algo de maravilhoso. Aos nossos sorrisos cheios de felicidade ao contemplar o nosso bebezinho, "Alguem" mais sorria também éonosso e pairava sôbre você, o SEU olhar...

E assim, meu filho, com todas as características de presente de um Deus, você, de um lado, crescendo, faria também que o nosso coração de pais em alegria e são orgulho crescesse em gratidão a Deus pelo que você vem sendo como filho e como homem. Mas, de outro lado, eu o sinto, eu o sei, naquele momento que Êle sorriu e o olhou, Êle o escolheu para um dos d'Ele: "não fostes vós que me elegestes, mas fui Eu quem Vos escolhi e constituí para que fosseis e produzisseis frutos..." (palavras de Jesus segundo S. João 15, 1555).

Aí eu encontro a razão, meu filho, por que você sem se aperceber da "Grande Verdade" e da sua omissão esperava com impaciência

3

insenta, os seus 18 anos — Seria a concretização dos sonhos (no plano humano) de um jovem cheio de ideal... Mas na verdade, todo este seu desejo ardente, nada mais era que a Inquietude interior, aquela palpitação, aquela ânsia de germinação daquela semente Divina "que foi colocada no seu coração ao nascer — ao ser um dos seus escolhidos — E certamente, Ele o determinou que isto só deveria iniciar quando a sua maioridade chegasse... E foi por isso, meu bem, que Você pediu (porque, Ele assim o quis) para fazer o seu T.L.C. — O seu 1º e verdadeiro encontro com Ele" —

Você, é o filho Valente de Deus, a quem Ele quer emprestar o seu mundo — para que Você o conquiste para Ele com Amor, pelo amor e no Amor "com todas as suas exigências"....

4

No dia de hoje, estou com Cristo e Você muito unidos no meu coração, numa prece ardente de um coração de mãe; pedindo que dia a dia, momento a momento de sua vida, Henrique, você o veja 1) dentro de você (maqui lo - que tudo êle lhe deu e lhe dotou) e 2) fora de Você: nas flôres, nos animais, nos pássaros, nos homens, enfim em to'da a Sua criação.

Porque, Henrique ver é conhecer e conhecer é Amar, pois "só se ama aquilo que se conhece e não se esquece aquilo que se Ama"

É preciso Conhecê-LO para Amá-LO meu bem. Faça isto por toda a sua vida.

Beijos muitos beijos da mamãe por hoje, (pelo seu aniversário), por ontem pelo o que você tem sido para nós como filho e por o amanhã pelo o que Você será como um dos "Filhos Eleitos de Cristo"

# CAPÍTULO 2

## Como o livro
*Acima de Tudo o Amor*
inspirou uma
cidade inteira

**Q**uando escrevi *Acima de Tudo o Amor*, em 2011, além de contar a história do Hospital de Câncer de Barretos (HCB), tinha a intenção de "contaminar", no bom sentido, o maior número possível de pessoas. A minha ideia era mostrar como podemos atingir nossos sonhos por meio da fé — e não apenas do dinheiro. Pois mesmo que você não tenha os recursos financeiros de que necessita para realizar uma obra com o intuito de ajudar a quem precisa, tem de confiar que Deus não lhe deixará na mão. Ao longo desses anos, desde a primeira edição do livro, reuni inúmeras histórias que comprovam que, de fato, ele tocou o coração de muita gente que, por consequência, começou a seguir o exemplo do Hospital do Amor (como gostamos de nos referir, carinhosamente, ao HCB). Como falei no primeiro capítulo, essa foi a principal razão pela qual resolvi escrever mais um livro, desta vez enfatizando tudo o que recebi por meio da Providência Divina de lá para cá. Entre tantos episódios que testemunhei, há um que me marcou especialmente. E faço questão de compartilhá-lo aqui porque, para minha alegria, foi além do que eu poderia pedir e imaginar: nesse caso, o livro contaminou não apenas uma pessoa, mas uma cidade inteira.

## TRINTA LIVROS PARA VIAGEM

Localizado no Alto Vale do Rio do Peixe, no meio-oeste de Santa Catarina, o município de Caçador foi fundado em 1934, unindo os dois vilarejos às margens do rio. Hoje em dia, a cidade tem 76 mil habitantes e vive principalmente da agropecuária, com destaque para a produção de madeira e tomate, sendo um dos municípios mais ricos do estado. A linda paisagem é tomada por pinheiros, aliás, fez-me lembrar de algumas cidades europeias.

Apesar do cenário favorável, um dos maiores hospitais da cidade estava passando por dificuldades financeiras e administrativas, com o risco de fechar suas portas. Quem me contou isso foi Adriano Rocha Lago, de Curitiba, que já trabalhou comigo na gestão do HCB por uma década e atualmente é superintendente da Liga Paranaense de Combate ao Câncer. No início de 2015, ele foi incumbido, por um primo de Caçador, de entrar em contato comigo para dizer que um grupo de empresários de lá gostaria de me conhecer. Se você teve a oportunidade de conferir *Acima de Tudo o Amor*, deve lembrar que, logo no início, conto a história de como assumi a direção do HCB, a pedido do meu pai, com o intuito de sanar as dívidas da instituição em meados dos anos 1980. Na época, o trato era fechar o hospital uma vez que cumprisse minha missão. No entanto, prestes a encerrar as atividades, o cirurgião José Elias Abrão Miziara, que ainda hoje trabalha no HCB, disse algo que me fez mudar de ideia. Na tentativa de me convencer a comprar um foco de luz específico para o centro cirúrgico, o que faria com que mais pacientes pudessem ser operados num menor intervalo, ele emendou: "Você será capaz de salvar mais vidas do que eu ou seu pai como médicos."

Aquele grupo de empresários catarinenses tinha entendido o meu recado. E Adriano, gentilmente, havia sido um instrumento nas mãos de Deus para que aquele grupo chegasse até mim. Como sabia da minha agenda lotada, ele me pediu para marcar uma *conference call* (chamada telefônica em que é possível conversar com um grupo de pessoas) em algum dia que eu pudesse conversar com tranquilidade e sem interrupções. No entanto, avisou que eles tinham pressa. Assim, agendamos uma conversa para o sábado seguinte, no período em que eu estaria em casa, pela manhã. No dia e horário combinados, pontualmente, recebi a ligação. Do outro lado da linha, Adriano, que havia ido até Caçador a convite dos empresários, iniciou a "reunião". A emoção era perceptível na voz de todos. O primeiro a falar comigo engasgou, não concluiu o que queria dizer. O segundo também. O terceiro finalmente conseguiu falar. Ele disse que recebeu meu livro de presente de um dos empresários do grupo, o senhor Leonir Tesser. Em viagem a negócios pela Europa, Tesser lera o livro, que por sua vez ganhara de presente de um médico. Ao voltar para o Brasil, encantado com a história do HCB, Tesser entrou em contato com outro empresário da região, o amigo Henrique Basso, presidente da Associação Empresarial de Caçador (Acic). Na época, Basso estava à frente de uma comissão de doze entidades da região que buscavam uma solução para o tal hospital. "Depois de dois ou três meses de trabalho, parecia que não havia saída para o problema. Estávamos desmotivados. Esse livro caiu como uma luva em nosso colo", contou-me Basso. Os dois entenderam que, assim como eu, por serem homens bem-sucedidos e tementes a Deus, tinham ainda mais condições de ajudar o próximo. E que tudo isso, claro, traria mais sentido à vida deles. Compraram, então, trinta exemplares do livro e os distribuíram entre o grupo com a intenção de motivá-los. Não foram dois nem três. Foram trinta.

## O HOSPITAL DO AMOR ENCONTRA O HOSPITAL DA AMIZADE

A instituição que os empresários de Caçador pretendiam ajudar chama-se Hospital Maicé. Fundado em 1975 pela Congregação dos Santos Anjos, o hospital contou com o apoio da comunidade desde sua construção. Na época, o terreno foi doado por uma família da região, ao passo que diversas empresas locais se reuniram para concretizar o empreendimento. Isso sem contar a dedicação das freiras da congregação de origem francesa que atua no Brasil desde o século XIX.

Passados três meses da conferência telefônica, fui até Caçador para conhecê-los pessoalmente. Ao chegar na cidade, eu me senti uma celebridade. Havia até um outdoor de boas-vindas, imaginem. Logo senti que o amor tinha tomado o coração de toda a cidade, tamanho o acolhimento que recebi. Eles me levaram, então, até o hospital. Como empresários competentes que são, tinham inúmeras ideias para realizar as obras necessárias, com uma dinâmica profissional que me impressionou... tudo isso apenas noventa dias depois da nossa primeira conversa. Fiquei sabendo que as doações iniciais eram sempre acima do valor requisitado. Se, por exemplo, alguém da comissão da obra ligava para um amigo para pedir 30 mil reais, recebia 300 mil. Exatamente como ocorreu comigo no início da gestão do HCB, conforme relatei em *Acima de Tudo o Amor*! Creio que o livro lhes trouxe a inspiração que faltava.

À noite, fiz uma palestra para 900 pessoas em um anfiteatro de uma faculdade local. Depois da palestra, participei de um jantar beneficente que tinha o objetivo de arrecadar fundos para a reforma do Maicé. Também aproveitei a oportunidade para gravar o meu programa de TV na cidade com a participação dos empresários que encabeçam esse projeto, Henrique Basso e Leonir Tesser. Fiquei mais feliz do que se tivesse ganho na loteria. Tocadas pelo meu livro, aquelas pessoas enxergaram que salvar vidas não é só responsabilidade do governo, mas de todos nós como cristãos. Todas elas já estavam com a vida ganha, por assim dizer. Faziam aquilo apenas por amor. "Doamos nosso tempo e nossos recursos em agradecimento a Deus por tantas conquistas já recebidas ao longo da nossa vida. A nossa

Da esquerda para a direita: Henrique Prata, Henrique Basso, Leonir Tesser e Adriano Lago

grande vitória, na minha opinião, foi mobilizar toda uma cidade em prol de uma causa para o bem comum: inúmeras frentes de voluntários estão trabalhando com a gente. Caçador é uma cidade pequena, porém de coração grande", como disse Basso.

Tenho falado frequentemente com os amigos do Hospital Maicé, acompanhando essa obra de Deus a distância. Basso também nos visitou em Barretos, quando pôde conferir de perto o tratamento humanizado sobre o qual havia lido e do qual tanto gostara no meu primeiro livro. Toda a instituição está em reforma, com novas "aquisições" na diretoria e no quadro clínico. Contaram-me que em três anos e meio de trabalho, já investiram aproximadamente 8 milhões de reais só em equipamentos, tanto na iniciativa pública quanto na iniciativa privada. Não há uma semana em que não façam eventos em prol da instituição, como leilões, bingos, shows... Além disso, os empresários estão batalhando unidos pelo apoio do governo local por meio de leis e verbas em favor do hospital. Tudo isso foi fundamental para dobrar o número de leitos da UTI, de dez para vinte unidades, com o que há de melhor no mundo em termos de qualidade. Em breve, devem inaugurar o centro de urgência e emergência, assim como o centro cirúrgico. A reforma da parte de hotelaria e a criação de mais cinco centros cirúrgicos também está prevista para os próximos anos. E os resultados já começaram a aparecer: a taxa de mortalidade da UTI do hospital caiu de 25% para 7%. "Ainda há muito a ser feito, mas Deus há de nos ajudar", disse-me Basso. Tenho fé que sim, amigo!

Se eu os inspirei a princípio, a recíproca é verdadeira. A euforia que irradia daquele grupo me "contaminou" de volta e me deu forças para levar adiante outro projeto, o programa de TV *Acima de Tudo o Amor* (que apresento na Rede Vida e no canal do HCB no YouTube, desde 2015). Essa história, porém, merece um capítulo especial, como será visto a seguir. Por último, queria destacar mais uma "coincidência". Como vim a saber mais adiante, a palavra *maicé*, que vem da língua indígena tupi-guarani, quer dizer "amizade".

# CAPÍTULO 3

## Como surgiu o programa de televisão *Acima de Tudo o Amor*

A pesar de ser conhecido pela minha espontaneidade e por gostar de falar, jamais na minha vida imaginei que um dia teria um programa de TV. Contudo, quem sou eu para questionar o que Deus me reserva. Um dia, no início de 2015, numa quinta-feira, acordei de madrugada depois de ter um sonho atípico. Sonhei que estava dando uma entrevista na TV, com o meu primeiro livro, *Acima de Tudo o Amor*, no colo. Comigo, um de cada lado, estavam meus queridos mentores espirituais, padre Fernando Barduzzi Tavares e padre Túlio Gambarato. Do primeiro já era íntimo, havia participado do Retiro do Silêncio, que ele promove em São Paulo, e nos tornamos amigos desde então. Já o padre Túlio, atual capelão do Hospital de Câncer de Barretos (HCB), tinha recém-conhecido naquela época. Acordei com aquela imagem na minha cabeça, como se aquilo tivesse acontecido de verdade, pois o sonho foi muito "real". Rezei o terço, como faço todas as manhãs, eu me aprontei e fui diretamente para a casa da minha mãe, a doutora Scylla Prata.

Doutora Scylla Prata, abaixo, a doutora jovem

Normalmente, eu a visito à noite ou nos fins de semana, mas senti necessidade de conversar imediatamente com ela sobre o sonho. Chegando lá, contei-lhe tudo detalhadamente. Minha mãe, que é uma mulher de muita fé, respondeu: "Você tem as bênçãos de Deus, meu filho. Foi o Espírito Santo quem lhe trouxe essa mensagem. Não tenha dúvida de que isso vai se concretizar".

A princípio, como disse, achei graça na ideia. No entanto, logo entendi que, de fato, seria uma oportunidade de divulgar o hospital para mais gente, e assim trazer mais recursos financeiros para a instituição, visto que a nossa demanda aumenta a cada dia. Na mesma semana, recebi um telefonema do Adriano Rocha Lago, antigo gestor do hospital, como relatei no segundo capítulo. Estava bastante eufórico com a novidade, ou seja, com a restauração do Hospital Maicé, de Caçador (SC), impulsionada pelo exemplo do meu livro. No sábado seguinte, até conversei com o grupo de empresários que liderava esse projeto. Entretanto, ainda que os dois fatos estivessem relacionados à divulgação da nossa obra, naquele instante não percebi a "coincidência" de ambos terem se passado na mesma semana. Até que, para minha surpresa, na segunda-feira, o meu amigo João Monteiro de Barros Filho, fundador da Rede Vida de Televisão, apareceu lá em casa. Eu estava almoçando com meu filho Antenor quando ele chegou. Convidei-o para comer com a gente, mas ele recusou e foi logo dizendo a que veio, animado: "Henrique, o seu livro está sendo um estouro! Eu, sozinho, já distribuí uns oitenta exemplares. Muitas pessoas me pedem mais explicações sobre as histórias que você relatou, porém, acho que a pessoa mais indicada para fazer isso é você mesmo. Conversar com cada uma delas, entretanto, seria inviável, pois tomaria demais o seu tempo. Então, o que você acha de fazermos um programa de TV sobre o assunto?". Fiquei sem palavras: não é que a minha mãe tinha razão?

### CONCRETIZANDO UM SONHO

A proposta irrecusável do João Monteiro me deixou intrigado. Como podem tantas coisas inusitadas acontecer ao longo da mesma semana? Primeiro, sonhei que fazia um programa de TV sobre

Henrique Prata e João Monteiro

meu livro. Dias depois, soube que a mesma obra inspirou não apenas uma pessoa, mas uma cidade inteira, a fazer o bem pelo próximo, e ainda por cima na área da saúde! E, para completar, o próprio dono do canal de TV sugeriu que eu fizesse o tal programa... Curioso, não é? Mesmo para mim, que acredito fielmente nos desígnios de Deus, é difícil às vezes reconhecê-los na exata hora em que acontecem. Naquele momento, porém, tudo ficou claro: se o livro já foi capaz de emocionar tanta gente, como esse grupo de empresários catarinenses, que dirá um programa de TV de alcance nacional! Não era coincidência, e sim Providência!

O passo seguinte foi colocar aquilo que, em meu entender, era a vontade dEle, em prática. Assim, eu teria de arranjar tempo na agenda e me preparar. Na sequência, liguei para o padre Fernando Tadeu, que aliás já tinha um programa próprio na Rede Vida. Ele mesmo relata a nossa conversa a seguir. "O Henrique me telefonou tarde da noite para contar que havia sonhado com um programa de TV sobre o livro *Acima de Tudo o Amor*. Quando ele me liga nesses horários, já sei que alguma coisa vem por aí. 'O que você acha?', ele me perguntou. Eu respondi que seria um grande desafio. E ele, então, completou: você também vai apresentá-lo comigo. Só me restou dar risada e responder 'estamos juntos!'." Depois, conversei com o bispo da nossa região, Dom Milton Kenan Júnior, para pedir autorização para incluir o padre Túlio. Na época, o padre Túlio atuava em uma comunidade carente de Barretos e, embora seja um rapaz muito inteligente e simpático, mostrou-se um pouco apreensivo. Eu não acho que pareça, mas ele se diz muito tímido, conforme ele mesmo conta aqui: "Falo em público sem problemas, no entanto, se alguém ligar uma câmera, fico inibido. Por isso, não aceitei a proposta na hora e respondi para o Henrique que ia pensar. Porém, alguns dias depois, uma pessoa da comunidade me ligou para me parabenizar pelo programa de TV. Como assim?, perguntei. 'Foi anunciado na Rede Vida, padre', ela me respondeu. Senti as pernas amolecerem na hora, tive de me sentar. É mesmo impossível dizer não para o Henrique! Entretanto, pensei comigo, Deus coloca situações difíceis na nossa vida como forma de auxiliar o nosso crescimento. E se é para ajudar o hospital, por que não?".

O programa estreou, então, no dia 4 de março de 2015, na Rede Vida de Televisão, cerca de três meses depois daquele sonho. É exibido todos os domingos e, às quartas-feiras, fica disponível também no canal do HCB na plataforma on-line YouTube. Ele acontece exatamente da maneira que sonhei: eu o apresento com a ajuda do padre Fernando e do padre Túlio. A conversa gira em torno de diversos assuntos relacionados ao hospital, como os milagres que presenciamos por ali em nosso dia a dia. Já entrevistamos médicos, pacientes, enfermeiros e demais colaboradores, assim como diversos de nossos coordenadores voluntários, que são os organizadores de leilões e outros eventos beneficentes em prol da nossa causa. Também tivemos o prazer de receber algumas celebridades como Gugu Liberato, Xuxa Meneguel, Sérgio Reis, Rionegro e Solimões, Leonardo, Victor e Léo, Eduardo Costa, Luan Santana, o saudoso Cristiano Araujo e

Programa *Acima de Tudo o Amor* – Da esquerda para a direita: padre Fernando, Henrique Prata e padre Túlio

figuras importantes para o hospital como o ex-governador José Serra e o presidente do Conselho Administrativo do Banco Bradesco, Lázaro Brandão — um dos grandes apoiadores do hospital —, a empresária Luiza Helena Trajano e os médicos Drauzio Varella e Antônio Buzaid. A lista é grande e deve aumentar cada vez mais, se Deus quiser. A música que é tema de abertura, gostaria de destacar, foi composta e gravada especialmente para o hospital pelo querido Edson, da dupla Edson e Hudson. Ele também já passou pelo nosso "estúdio" com seu violão para nos prestigiar e, para nossa alegria, apresentou a canção ao vivo.

Não tive nenhum preparo técnico para gravar o programa. Uma equipe da Rede Vida veio especialmente de Rio Preto para dirigir os primeiros episódios e, a partir de então, tudo é produzido e coordenado por minha equipe de comunicação. Geralmente, gravamos ali mesmo dentro do hospital. O cenário é simples, com apenas algumas cadeiras e uma mesa de centro, como se estivéssemos na minha própria casa, pois gosto de deixar os convidados à vontade. Certos episódios especiais, no entanto, já foram produzidos em outras cidades em locações variadas. Em um deles, por exemplo, gravamos na vinícola Villagio Grando, em Caçador (SC), com Henrique Basso e Leonir Tesser, que estão à frente do grupo de empresários que está promovendo a revitalização do Hospital Maicé. Naquela paisagem maravilhosa, repleta de pinheiros, acompanhou-nos no bate-papo a irmã Elizabeth Lima, diretora do hospital. Com o programa, também já estive em Jales (SP), onde mostrei as novas instalações e algumas das atividades promovidas pela Associação Voluntária de Combate ao Câncer (AVCC), uma das mais atuantes da região. E em outra ocasião fomos até Porto Velho (RO) para mostrar a filial do HCB na região, que é chamada carinhosamente pela população de "Barretinho". Aproveitei a oportunidade para visitar e apresentar no programa as obras do nosso novo projeto, o Hospital da Amazônia, do qual falarei com detalhes mais adiante, num capítulo especial.

Fico muito lisonjeado que o nosso programa seja exibido na Rede Vida, com o apoio do João Monteiro, a quem só tenho a agradecer. Assim como eu, ele foi um dos Eliseus de Dom Mucciolo. E ao aceitar seu chamado, há 21 anos, construiu um canal que valoriza a vida e a dignidade humana, além de levar a Palavra de Deus para todos os

Dom Antonio Mucciolo

estados do Brasil. Por ter sido uma peça-chave na concretização do meu sonho, João Monteiro já participou do programa em diversas oportunidades. No que diz respeito à produção desse projeto, aliás, sou bastante aberto a sugestões. No início, meu filho Henrique até brincou comigo que eu falava demais e quase não deixava os padres participarem. Atualmente, acredito que encontramos um equilíbrio e sinto-me à vontade diante das câmeras. O padre Túlio também se diz mais desinibido, embora ainda sinta as mãos geladas e um frio na barriga toda vez que o "show" vai começar. Ele aceitou meu convite, obviamente, para ajudar o hospital, mas não esperava que essa missão também o auxiliasse como nosso capelão, conforme relata aqui. "Muitas vezes, nas visitas, os pacientes dizem já me conhecer por causa da TV. Elogiam o programa e pedem até para tirar foto comigo. Parece que fiquei famoso! Brincadeiras à parte, essa aceitação do público é importante para o meu trabalho de evangelização e acolhimento no hospital, uma vez que facilita a minha aproximação com os doentes", acredita.

Por tudo isso, sinto que o programa *Acima de Tudo o Amor*, tal qual o livro, está cumprindo a sua missão. Ou seja, nesses anos desde o primeiro episódio, tem levado a mensagem do Hospital do Amor a mais lares pelo Brasil afora — e quiçá pelo mundo, via internet. A reação do público me emociona! Recentemente, fui abordado

## 42 A PROVIDÊNCIA

por desconhecidos no fim de uma missa em Porto Alegre (RS) para dizerem que assistiam ao meu programa. O mesmo aconteceu quando andava na rua em Macapá, no Amapá. Essa conquista só fez reforçar minha confiança na Providência. Para mim não existe outra maneira de vivenciar a fé: é preciso acreditar, mesmo quando a ciência não prova ou quando as coisas parecem não fazer sentido (como eu na TV!). Quando os sonhos são baseados na verdade, eles vão se tornar realidade: Deus estará presente. E independentemente do tamanho do desafio, você sairá ganhando. Pois como lembra a música de abertura do nosso programa, "ajudar ao próximo é ajudar a si mesmo".

# CAPÍTULO 4

## Um pedido especial

*"E, tudo o que pedirdes em oração,*
*crendo, o recebereis"*
MATEUS, 21:22

Em nossa trajetória, tivemos a graça de contar com o respaldo de inúmeras celebridades, entre artistas e apresentadores de TV, passando de cinquenta no total. Eles apoiam o nosso hospital por meio de doações diretas e/ou doando cachês de eventos. As visitas dos famosos às nossas instalações também chamam a atenção da mídia, além de levar conforto e alegria aos nossos pacientes. E muitas dessas estrelas acabam se transformando em nossos "embaixadores", utilizando de sua popularidade para tornar o Hospital de Câncer de Barretos (HCB) ainda mais conhecido e ganhar mais apoiadores à nossa causa. Tudo começou com a dupla sertaneja Chitãozinho e Xororó, em 1991. Na época, quando fizeram um show em Barretos, consegui apresentar a eles o projeto do novo hospital que estávamos construindo. A dupla ficou bastante comovida e prometeu nos ajudar, o que culminou na inauguração de nosso terceiro pavilhão, o da radioterapia, em 1995. De lá para cá, como falei, esse reconhecimento dos famosos só cresceu e nos trouxe bons frutos. Já somos conhecidos no exterior por meio de nossas parcerias com instituições estrangeiras, com o MD Anderson Cancer Center e o Saint Jude Children's Research Hospital, ambos nos Estados Unidos. Contudo, senti que era hora de divulgar a imagem do hospital fora do Brasil também com a ajuda de artistas internacionais.

Nas minhas conversas com Deus, eu sonhava alto. Pedia a Ele que, um dia, o HCB recebesse o "aval" de um grande ídolo da música *country* mundial, ninguém menos do que o cantor e compositor Garth Brooks. Com mais de 135 milhões de exemplares de álbuns vendidos nos Estados Unidos, Garth já superou as vendas de cantores como Michael Jackson e Elvis Presley,[2] tornando-se um dos maiores artistas norte-americanos de todos os tempos. Como havíamos começado esse lindo trabalho com uma dupla de sertanejos, pensei que um cantor *country* teria a mesma sensibilidade. Para mim, o homem sertanejo tem a alma pura, o que gera empatia em relação ao sofrimento humano. Além de ser fã da música de Garth, também me inspiro nas realizações pessoais dele, como o suporte constante à luta pelo reconhecimento dos direitos das pessoas com síndrome de Down. Ele esteve em Barretos em 1998, quando fez um show na Festa do Peão. Na ocasião, consegui um autógrafo dele que, na dedicatória, parabenizou-me pelo meu trabalho no hospital e pediu a Deus que me abençoasse cada vez

---

2  Nos Estados Unidos, segundo a Recording Industry Association of America (RIAA).

Garth Brooks e Henrique Prata

mais. Ali, percebi que ele também era um homem temente a Deus e comecei a sonhar em levá-lo até o hospital. Talvez tenha sido até um pouco de vaidade da minha parte, mas por causa de tudo isso, tinha certeza de que ele era a pessoa certa para aquela missão.

## UMA LONGA ESPERA

Ainda que continuasse a sonhar com o apoio de Garth, sabia que teria de esperar por um bom tempo. Após o divórcio da primeira esposa, ele prometeu às três filhas, ainda crianças, que dormiria todas as noites em casa. Assim, deu um tempo na carreira

48 A PROVIDÊNCIA

Garth Brooks em visita ao HCB

para cuidar das meninas de perto. Em 2011, treze anos depois daquele nosso primeiro encontro, entretanto, fiquei sabendo que ele voltou a se apresentar em Las Vegas. A apresentação era mais um bate-papo, minimalista, em que ele contava algumas histórias de sua vida, acompanhado apenas de seu violão. Consegui, por meio de alguns amigos, mandar um e-mail para a produção dele e marcar um encontro após um desses eventos, já em 2010. Assim, eu me mandei para lá! Por causa da diferença no fuso horário, recordo-me que cheguei a ficar 22 horas acordado naquela viagem.

Meu filho mais novo, Antenor, encontrou-se comigo em Las Vegas para ser meu intérprete, uma vez que não falo quase nada em inglês. Depois da apresentação, ele e eu fomos até o camarim. Nos Estados Unidos, admira-me o fato de as visitas aos artistas nos bastidores dos shows serem muito organizadas. Eles costumam receber poucas pessoas, sentadas, para que possam aproveitar melhor o momento, imagino. Não é só aquele negócio que temos por aqui de tirar foto e ir embora. Fomos os últimos a ser atendidos, por volta das 5 da madrugada. Eu já estava até cochilando em um sofá da sala de espera quando ele veio ao nosso encontro. Tocou no meu ombro, acordei de sobressalto. Em seguida, pediu-nos desculpas pela demora, imagine! Fui logo atropelando as palavras, pois estava para lá de ansioso. Enquanto ele tocou meu ombro e disse: "Calma. Primeiro você me diz quem é, só depois do que se trata o seu projeto. Depois, vamos falar sobre mim e como posso ajudá-lo. Vamos nos conhecer melhor antes de tudo". Levei um susto, não imaginei que ele fosse começar a conversa com tamanha atenção. Algo que, para mim, já foi um indício do caráter admirável daquele artista. Essa não seria a primeira vez, entretanto, que me surpreenderia com a generosidade dele.

Em seguida, Garth me perguntou por que eu havia escolhido logo ele, em meio a tantas celebridades *country*. Então, contei da dedicatória comovente que ele fizera para mim anos antes. "Deus me abençoou tanto que, veja só, ganhei até uma chance de chegar até você novamente, Garth. Eu vi nos seus olhos que você é um homem de coração bom", completei. Depois, para florear meu discurso, disse que se Elvis, Michael Jackson ou os Beatles estivessem ainda na ativa, eles não serviriam para mim. O coração que eu queria conquistar para o meu projeto era o dele, Garth Brooks. Nesse momento, meu filho ficou bravo. "Onde já se viu dizer que ele é mais importante que os Beatles, pai?", retrucou. Comecei a discutir com o Antenor, explicando para ele a minha comparação. Na verdade, queria mesmo dizer quanto o Garth sabe transmitir o amor ao próximo só pelo olhar. "Tira aí os Beatles, então, e traduz", cedi. A essa altura, Garth já dava risada. Então, ele me chamou de *brother* (irmão, em livre tradução do inglês), pois tem o hábito de tratar as pessoas assim, e disse: "você vai ter de esperar. Ainda tenho quatro anos de contrato por aqui e somente depois disso vou sair em turnê pelo mundo". Ele, porém, ficou muito interessado no nosso trabalho e não queria que eu saísse com as mãos abanando: então ofereceu o cachê do show que acabara de fazer, no valor de mais ou menos uns 500 mil dólares, como doação ao hospital. Fiquei tocado, logicamente, porém recusei na hora. Eu tinha ido até ali para ganhar a confiança de Garth, não o dinheiro. Havia esperado treze anos por aquela oportunidade, um a mais, um a menos não faria tanta diferença assim.

Três anos depois desse episódio, recebi uma ligação internacional. Era o empresário de Garth, que queria meu número de celular, pois o artista desejava falar comigo. Fiquei louco de curiosidade, claro, e contente ao saber que ele próprio estava me procurando. Garth mandou dizer que não havia esquecido do nosso trato e estava à nossa disposição — um ano antes do combinado! O cantor

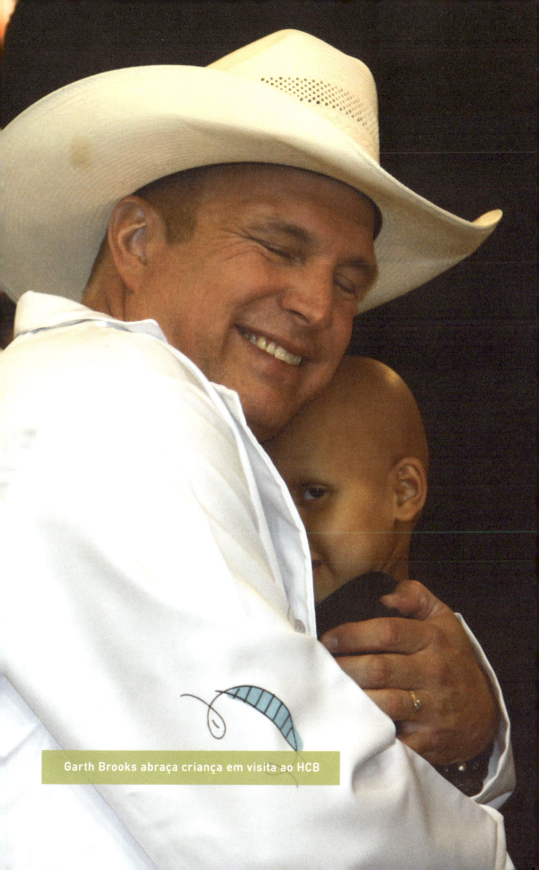

Garth Brooks abraça criança em visita ao HCB

Coral Papo Furado e artistas

iniciaria uma nova turnê em 2014, então ficou acordado que passaria por Barretos em agosto 2015, novamente durante a Festa do Peão.

## VISITA ESPECIAL

Como previsto, a passagem de Garth Brooks por Barretos foi um sucesso. Horas antes de subir ao palco, ele fez uma visita especial ao nosso Hospital de Câncer Infantojuvenil, acompanhado de diversos artistas, como Chitãozinho e Xororó e Xuxa, uma de nossas "madrinhas" da ala dedicada às crianças. De cara, ficou impressionado com nossas modernas e coloridas instalações, uma vez que essa parte do hospital tem tudo o que agrada aos pequenos (brinquedoteca, lanchonete, biblioteca, teatro etc.) e até uma classe hospitalar. No passeio, fez questão de cumprimentar cada funcionário com quem cruzou: perguntava o nome do colaborador e lhe agradecia pelo cuidado com as crianças. Não me lembro se foi um médico ou uma enfermeira que chegou a contar com quantos colaboradores ele conversou, foram 48 no total! O ponto alto da visita foi a apresentação surpresa que fizemos para ele, unindo nosso coral infantil ao nosso coral de traqueostomizados[3] para entoar uma das canções mais lindas do Garth, *People Loving People*. Não por acaso, a música diz que a solução para toda a maldade do mundo são as pessoas amorosas. Foi aí que "derrubamos" aquele homem de 1,90 m de altura, que chorou copiosamente.

O público de aproximadamente 50 mil pessoas (capacidade total da Arena de Barretos!) rendeu 6.400 milhões de reais em bilheteria, montante que foi 100% revertido ao hospital. Para vir ao Brasil, Garth trouxe todo seu *staff* de cerca de cinquenta pessoas, além dos equipamentos, com dinheiro do próprio bolso. Mais tarde, eu soube que essa logística lhe custou cerca de 1 milhão de dólares. Fez questão de conferir ele próprio a lista de gastos do show e, ao perceber que o bufê de doces, salgados e bebidas que oferecemos à equipe no camarim não estava computado ali, deu-me uma bronca.

---

3  A traqueostomia consiste na introdução cirúrgica de uma cânula na garganta. É um recurso usado pela Medicina para facilitar a chegada de ar aos pulmões quando há algo obstruindo o local, como um tumor. Entre os possíveis efeitos colaterais desse procedimento está a alteração da fala.

Artistas em show beneficiente ao HCB na Festa do Peão de Barretos em 2015

"Irmão, faço questão de pagar essa comida também. Não quero que você fique devendo nenhum favor a ninguém para me receber aqui", disse. Que coração puro! Não pude pensar em uma maneira melhor de homenageá-lo senão pedindo à plateia, no meio do show, que parasse um instante para rezar um Pai-Nosso em agradecimento a ele e a sua equipe por aquele exemplo de solidariedade.

Garth voltou aos Estados Unidos no dia seguinte ao show, pois a esposa dele, a também artista *country* Trisha Yearwood, seria submetida a uma cirurgia naquela semana. Entretanto, nem isso foi empecilho para que o cantor descumprisse seu compromisso com o hospital. O que foi apenas uma das inúmeras lições de vida que Garth deixou para nós em sua passagem relâmpago pelo Brasil. Mesmo para quem é conhecido pelo atendimento humanizado, como o Hospital do Amor, a atenção e a humildade com que aquele homem, uma estrela internacional, tratou a todos jamais serão esquecidos. Tenho convicção de que foi a Providência que o trouxe até nós. Nesse caso, porém, não apenas pelos recursos financeiros, como também para que tivéssemos a chance de elevar nossa dimensão de amor pelo próximo a outro nível. Aquele em que as pessoas, quando querem fazer o bem, doam-se por inteiro, e não pela metade.

Garth Brooks abraça Henrique Prata em show

# CAPÍTULO 5

## A parceria com o Instituto Ronald McDonald

Depois da inauguração do Hospital de Câncer Infantojuvenil — que aconteceu em 24 de março de 2012, data em que o Hospital de Câncer de Barretos (HCB) completou 50 anos —, nosso atendimento a crianças e adolescentes aumentou significativamente, como esperado. De 150 novos casos por ano, passamos a atender 400, em média. Além de moderna e colorida, a unidade destinada aos pequenos oferece diversos espaços de lazer e educação para toda a família, de modo que elas se sintam completamente acolhidas ao longo do tratamento. E, sobretudo, lá recebam muito amor. Por isso, não raro, ex-pacientes se recordam com alegria das brincadeiras e dos amiguinhos que fizeram durante o tempo que passaram (para consultas, exames e/ou infusão de medicamentos) ou foram internados ali. Ainda assim, a construção de um hospital com tecnologia de ponta e atendimento humanizado, para onde foram trazidos os melhores especialistas em câncer infantojuvenil do país, não foi o suficiente para mim.

## 60 A PROVIDÊNCIA

Em minhas conversas com os familiares dos jovens pacientes, observei um dado estarrecedor: a maioria dos casais acaba se separando durante o tratamento do filho, caso a mãe tenha de se mudar para Barretos por um tempo para acompanhá-lo. Segundo esse levantamento pessoal, 60% das mães que ficam seis meses ou mais na cidade para cuidar do filho doente veem o relacionamento chegar ao fim ao voltar para casa. E essa percepção não é somente da minha parte. "Depois de um, dois anos longe, tendo em vista que a mãe se muda para cá por causa da criança e o pai fica na cidade de origem deles, alguns casamentos não resistem. Quando vejo alguma mãe de cabeça baixa, já puxo conversa pois sei que ela quer desabafar. Para mim, isso pode até interferir na recuperação do paciente, porque, além do nervosismo da mãe, que perde o foco, as crianças sentem a falta do pai", lamenta a voluntária Sueli Maria dos Santos Rodrigues de Oliveira[4], conhecida como tia Sueli, que trabalha conosco desde 2006. Concordo plenamente com ela!

Não estou aqui para julgar as razões que levam à ruptura desses casais, é claro. O tratamento de câncer, independentemente da idade, gera estresse e ansiedade não apenas no doente, mas em todos ao redor dele. E no caso das crianças, a estadia no hospital pode ser longa, pois é mais comum elas terem de ficar internadas entre uma sessão de quimioterapia e outra, por exemplo,

---

4 A história de Sueli e do marido, Antonio Carlos Rodrigues de Oliveira, foi descrita no livro *Acima de Tudo o Amor – Relatos*. Antonio faleceu em 2017, infelizmente.

uma vez que são mais frágeis que os adultos. Ou moram tão longe que não compensa voltar para casa no intervalo das sessões, geralmente de 21 dias, mesmo que estejam bem-dispostas. Nem todos os pais podem acompanhar o filho por todo esse período, porque têm de voltar ao trabalho ou cuidar dos outros filhos que deixaram com familiares e amigos em suas cidades de origem. Desse modo, essa responsabilidade cai sobre a mãe em geral. Depois de colher esses dados, portanto, concluí que o assunto era mais sério do que eu imaginava. Além de tomar conta do filho doente, a mulher tem de lidar com a preocupação (e a saudade) dos que ficam em casa e, por fim, ainda perde o companheiro. Esse drama faz parte das chamadas sequelas sociais do câncer. É algo que preocupa o hospital desde sua fundação por meu pai, doutor Paulo Prata. Já naquela época, nos anos 1960, meu pai destacava que é nosso dever cuidar tanto do aspecto físico, quanto do afetivo e do emocional do paciente: abandono do lar, ruína financeira e rompimentos de vínculos familiares, entre outros problemas trazidos pela doença. Ao longo do tempo, consegui arranjar trabalho para alguns dos maridos se mudarem para Barretos durante a passagem de suas esposas e filhos por aqui, aliviando ao menos um pouco o sofrimento dessas famílias. Hoje temos aproximadamente vinte deles que atuam no HCB em diferentes áreas, como jardinagem, construção, serviços gerais etc. Evidentemente, sempre soube que poderia fazer mais e melhor por essas famílias.

## ROMPENDO PROTOCOLOS

No início da construção do Hospital Infantojuvenil, fizemos uma parceria com o Instituto Ronald McDonald. A ideia era construir em Barretos uma unidade da Casa Ronald McDonald, como são chamadas as casas de apoio (espaços de hospedagem gratuita para crianças doentes e seus familiares) que a instituição mantém no Brasil e no mundo. O hospital conta com a ajuda de diversas casas desse tipo, como a Casa Acolhedora Vovô Antonio e a Casa Assistencial Santa Madre Paulina, só para citar algumas. Por isso, estávamos muito felizes com a possibilidade de mais uma delas se instalar nas nossas redondezas, ainda mais com o padrão de qualidade do Instituto Ronald McDonald. As casas de apoio, no entanto, de modo geral, têm como norma receber somente o doente e mais um acompanhante, por causa da logística e do custo. Por isso, propus ao pessoal do Instituto Ronald McDonald algo inovador: um espaço que pudesse abrigar a família completa, ou seja, a criança doente, os pais e os irmãos. Na época, entretanto, fui informado que, no caso do Instituto, havia um protocolo internacional a ser seguido. Portanto, o projeto a ser implantado aqui teria de seguir os moldes das demais casas já construídas no Brasil, ou seja, ela poderia receber a criança e mais um acompanhante, e não a família completa, como eu gostaria de oferecer aos meus pacientes. Diante da minha insistência, o pessoal do Instituto me orientou a colocar meu projeto no papel para que o apresentassem à matriz posteriormente com o intuito de ser avaliado. No entanto, eles reforçaram que era difícil mudar aquelas regras e, por fim, questionaram-me: por que o senhor acha que temos de fazer diferente com o HCB? Veja bem: valorizo imensamente o trabalho de todas as casas de apoio, tanto as mantidas pelo Instituto Ronald McDonald quanto as encontradas nas redondezas do hospital. Contudo, por causa do sofrimento que observava nas famílias, ao serem separadas em virtude da doença, eu almejava um projeto que oferecesse a chance de mantê-las debaixo do mesmo teto nesse período. Por isso, em resposta, ressaltei que a humanização é um dos pilares da minha instituição, logo, estou sempre buscando excelência nesse sentido. O que, nessa obra, corresponderia a abrigar pais e filhos juntos, sem exceção.

Em contrapartida, já que eu não estava disposto a abrir mão do meu projeto inicial, eles nos deram de presente o Espaço da Família. Trata-se de uma sala de 120 metros quadrados, com capacidade para receber sessenta pessoas, entre adultos e crianças, que oferece atividades lúdicas de acordo com a idade das crianças, incluindo sala de estar e de TV, computadores, cinema e banheiro privativo com chuveiro. O local tem o objetivo de acomodar pais e familiares durante as horas de espera entre exames e consultas, por exemplo, num ambiente confortável e acolhedor. O Espaço da Família foi inaugurado em junho de 2012 e, além de ser lindo, cumpre muito bem a sua função. Por isso, aceitei de bom grado, até porque a cavalo dado não se olham os dentes.

Podem me chamar de teimoso, mas quando o assunto é oferecer o que há de melhor aos pacientes do hospital, de fato, dificilmente desisto. Quem me conhece já sabe: tem de ser do meu jeito! Pois acredito que agindo assim, ou seja, agradando aos meus irmãos, estou também agradando a Deus. E quando esse é o objetivo final, as coisas tendem a acontecer da maneira que sonhei, mais cedo ou mais tarde. Não esqueci meu sonho de construir uma casa de apoio mais completa, apenas o deixei de lado por uns tempos. Tinha fé que, eventualmente, encontraria outro parceiro. Qual não foi a minha surpresa quando, dois anos depois da inauguração do Espaço da Família, recebi um telefonema do Instituto Ronald McDonald: um recado de que gostariam de conversar comigo novamente sobre minha proposta inicial. Entretanto, havia uma exigência para nos apoiarem em mais esse trabalho: eu teria que arcar com parte dos custos também, tanto da construção quanto da manutenção da casa. Após as negociações, concordamos que caberia ao HCB um percentual dos gastos. Foi preciso romper um protocolo internacional, mas meu pedido fora finalmente atendido.

## UMA CASA ESPECIAL

Eu já tinha um terreno na área do hospital que foi, então, destinado a essa obra. Em março de 2015, lançamos a pedra fundamental da Casa Ronald McDonald Barretos. Na cerimônia, que contou com a participação de Francisco Neves, superintendente do Instituto Ronald McDonald no Brasil, colocamos o primeiro bloco da fundação da obra. No mesmo local, enterramos simbolicamente uma cápsula do tempo com documentos e jornais da data. Com uma área de 3.262,72 metros quadrados, vamos abrigar a sétima unidade da casa no Brasil — e a maior de todas! No total, serão 32 apartamentos, que devem hospedar até 140 pessoas (sendo 36 pacientes e, os demais, acompanhantes). A casa vai seguir os moldes das cerca de 300 unidades existentes no Brasil e no mundo, destacando o conceito de ser "uma casa longe de casa". Ali, os jovens pacientes e seus acompanhantes vão receber gratuitamente hospedagem, alimentação, transporte e suporte psicossocial. Além dos confortáveis apartamentos, o espaço inclui também outras comodidades como brinquedoteca, cinema, sala de estudos, cozinha, refeitório, lavanderia etc. Outra novidade são os dois apartamentos projetados especialmente para populações indígenas. Para respeitar os costumes

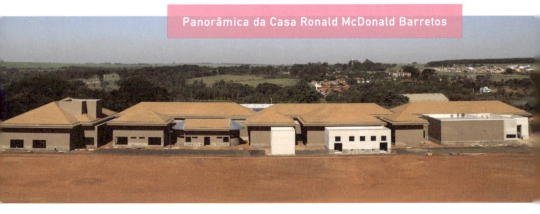

Panorâmica da Casa Ronald McDonald Barretos

Casa Ronald McDonald Barretos em março de 2017

das respectivas tribos, esses quartos terão redes (além de camas) e parte da cobertura lateral feita de palha, a fim de simular uma oca. Eles também ficarão perto de uma área de mata nativa que se encontra próxima ao terreno. A inauguração está prevista para 2017, ocasião em que desejo promover um culto ecumênico para agradecer a Deus por essa conquista, seguido de uma grande festa.

Motivos para comemorar, afinal, não faltam. Imagine que dor para uma criança, que luta contra o câncer, ter de ficar longe dos irmãos e perder a referência do pai. Agora pense na alegria dela, depois de um dia de exames, voltar para casa e fazer uma refeição com todos eles ao redor da mesa, compartilhando o verdadeiro conceito de família. Em sua infinita misericórdia, Deus permitiu

que eu sonhasse alto e encontrasse uma solução para esse dilema. Quis compartilhar essa história com vocês para mostrar que, mais uma vez, a Providência Divina me estendeu a mão. Confiei Nela e soube esperar. No momento certo, acredito, Deus nos manda exatamente o que estamos precisando. Por isso, nunca duvidei que Ele me enviaria um aliado para concretizar esse projeto. E, certamente, fiquei mais feliz ainda por ter sido o próprio Instituto Ronald McDonald o escolhido para levá-lo adiante. Essa parceria me enche de orgulho. Não por vaidade, mas porque vai permitir que os membros dessas famílias que vêm de longe possam permanecer unidos, apoiando uns aos outros, como tem de ser.

# CAPÍTULO 6

## Os onze princípios básicos de uma gestão humanizada

**A**mar a Deus sobre todas as coisas e ao próximo como a si mesmo.[5] O resumo dos ensinamentos de Jesus é traduzido no Hospital de Câncer de Barretos (HCB) da seguinte maneira: faça pelo paciente tudo o que você gostaria que fizessem aos seus pais, aos seus irmãos, a você mesmo. Essa lição me guia em tudo o que faço ali. Repito-a constantemente a todos os meus colaboradores. Até porque foi assim que aprendi com meu pai, doutor Paulo Prata, o fundador da nossa instituição. Quando assumi o hospital, nos anos 1980, a estrutura tinha aproximadamente 2 mil metros quadrados e sessenta funcionários. Hoje, além daquele, ocupamos um espaço novo, que soma mais de 120 mil metros quadrados e quase 4 mil colaboradores. Ainda assim, alegra-me saber que 55 anos depois do dia em que o hospital abriu suas portas, mesmo considerando a proporção que esta obra tomou, consegui manter a proposta de meu pai, que seguia essa regra acima de

---

5   Como descrito na Bíblia em Marcos (12,30-31).

todas. E é sobre isso, a essência de nossa gestão, que pretendo tratar neste capítulo.

Quando comecei a gravar o programa de TV *Acima de Tudo o Amor*, em 2015, estava ansioso para compartilhar as histórias do livro com o público. Esse foi o principal objetivo pelo qual embarquei nessa aventura de fazer televisão, sem a menor experiência, afinal. Essas histórias, porém, eram muitas, fiquei meio perdido a princípio. Não queria repetir os assuntos, e sim mostrar como é gerir uma instituição baseada no amor. Afinal o meu primeiro livro, que dava nome e inspirava o programa, era um testemunho da minha fé. A minha vontade era de que o conteúdo de cada episódio, portanto, viesse do coração. Passados quinze dias da gravação dos primeiros programas, acordei no meio da madrugada com uma ideia na cabeça. E se eu colocasse também no papel um resumo da minha gestão? Na mesma hora, uma vez que não conseguia voltar a dormir, peguei uma caneta e comecei a escrever.

Antes de destrinchar o conteúdo que escrevi naquela noite, no entanto, gostaria de abrir um parêntese. Assim como aconteceu em outros momentos da minha vida, a inspiração veio durante a madrugada. Seja por meio de sonhos, seja por meio de ideias que surgem aparentemente "do nada". É claro que não se trata de algo sobrenatural, pois não sou místico ou algo parecido. Acredito que o Espírito Santo me ilumina, o dia inteiro, não apenas à noite! Para mim, a explicação está no fato de que, como eu tenho muitos compromissos e problemas a resolver durante o dia, meu cérebro só consegue descansar finalmente depois de algumas horas de sono. Aí, então, as ideias encontram espaço para se manifestar, digamos assim. Agora voltando ao assunto principal, escrevi dez tópicos sobre como gerir um hospital de maneira humanizada. De uma "sentada só", como se diz. No dia seguinte, na hora do almoço, mostrei o texto para um amigo, doutor Sérgio Vicente Serrano, oncologista clínico do HCB. Ele os leu com atenção, concordou em gênero, número e grau e, por fim, fez um adendo. Assim, acrescentei o 11º item à lista. Depois, até brinquei com ele: agora superamos Moisés em número de leis!

Satisfeito com o resultado, resolvi gravar um programa especialmente sobre os onze princípios, mas achei que poderia apresentar aquele conteúdo a mais gente, uma vez que só recebi feedbacks positivos sobre ele. Quando o oncologista e escritor Drauzio Varella esteve nos visitando em Barretos, por exemplo, aproveitei a oportunidade para mostrar também a ele os onze princípios. E fiz o mesmo com o urologista Miguel Srougi, que é professor titular de urologia da Universidade de São Paulo (USP). Ambos, médicos de renome nacional e extremamente humanistas, também validaram o meu discurso. O que só me deixa mais confiante para seguir em frente, com a certeza de que esses onze preceitos estão por trás do êxito de nossa gestão. Eu os escrevi tendo em mente apenas a administração de unidades de saúde. Na minha opinião, gerenciar um hospital é diferente de coordenar qualquer outro tipo de empreendimento. Falo com base na minha experiência de décadas na condição de gestor de saúde e homem de negócios. Em primeiro lugar, porque é necessário estar disponível 24 horas por dia, uma vez que a empresa não fecha as portas nunca. Além disso, o gestor, nesse caso, simplesmente não tem a flexibilidade de deixar um problema para o dia seguinte, tendo em vista que a procrastinação poderia custar vidas humanas. A seguir, compartilho com vocês, então, um apanhado da filosofia do HCB, dividida em onze itens. Espero que eles possam inspirá-los a fazer pelo próximo o que desejam para si mesmos, como nas palavras de Jesus.

### 1º PRINCÍPIO

*O administrador de um hospital deve ter a convicção de que não existe remédio que faça efeito sem, primeiramente, restituir-se a dignidade e a autoestima do paciente.*

Essa foi a primeira lição que aprendi com meu pai. Ele não apenas repetia essas sábias palavras, com as provava para mim no dia a dia do hospital. Não se iluda com médicos, instalações e equipamentos bons, falava, porque nada disso funciona se o doente não for tratado com o devido respeito. Ele visitava os pacientes leito a leito, tanto os dele quanto o de outros médicos. Sentava-se na cama ao lado deles e, frequentemente, tocava-os no ombro antes de iniciar uma conversa. Ao longo da minha gestão no HCB, testemunhei inúmeros casos de pessoas que foram maltratadas em outras instituições e, apenas porque recebiam o mínimo de atenção por aqui, voltavam a sorrir, a comer e, finalmente, a responder ao tratamento. Por essa razão, esse é o primeiro preceito do nosso hospital.

## 2º PRINCÍPIO

*O administrador de um hospital deve ser uma pessoa capaz de sentir a dor e o sofrimento de cada paciente.*

Status, política, poder... São muitas as razões pelas quais algumas pessoas assumem o comando de órgãos de saúde, mas, para mim, quem não tem a capacidade de se colocar no lugar do paciente, abrindo o coração para atender às necessidades dele, jamais será um bom gestor. Pelo menos no sentido do que considero uma administração justa. É triste saber que a Medicina praticada nos dias de hoje, infelizmente, está longe disso. O tempo e a qualidade de uma consulta estão proporcionalmente atrelados ao valor pago por ela. Os profissionais acham que receitar o medicamento certo para sanar a dor basta. Eu acredito, entretanto, que aqueles que não param para ouvir a história do paciente, com compaixão, olho no olho, em vez de mantê-los apenas na tela do computador, possivelmente estarão fazendo o serviço pela metade.

## 3º PRINCÍPIO

*O administrador de um hospital deve ter o coração valente, isto é, não se acovardar, nem deixar que qualquer pessoa — tanto paciente quanto colaborador — seja humilhado, ignorado ou explorado.*

Em qualquer instituição de saúde, pode acontecer de um paciente ser mal recebido porque o médico o atende de acordo com

## 76 A PROVIDÊNCIA

a remuneração que lhe é paga ou não ter tempo para dar conta de sua demanda de trabalho. E caso sua remuneração não seja justa, como sabemos que ocorre tanto na saúde pública quanto na atrelada a convênios médicos particulares, o médico pode transferir essa frustração para o doente. Entendo que não ser reconhecido pelo seu real valor fere a dignidade de qualquer profissional, independentemente da área em que ele atue. Contudo, o doente não merece pagar pelas consequências desse tipo de injustiça. Cabe ao gestor, nesse caso, defender o paciente, ou seja, enfrentar os mais fortes e lutar pelos mais fracos. E esse desafio, conforme profetizou minha mãe, requer um coração valente.

### 4º PRINCÍPIO
*O administrador de um hospital deve ter a humildade de conhecer todos os colaboradores pessoalmente e se fazer conhecer por eles, em toda a sua essência.*

Geralmente, pessoas que ocupam cargos importantes só conversam com os diretores, administradores e/ou chefes de departamentos. Não no HCB. Aqui, faço questão de conhecer todos os nossos 4 mil colaboradores. Em regra, cada funcionário tem direito a uma reunião particular comigo, durante um café da manhã ou almoço, ao completar um ano de casa. Nessas ocasiões, não há formalidades. Sou e falo o que penso e desejo que façam o mesmo comigo. Quero que saibam quem eu sou por mim mesmo e não por meio de meus assessores. Somado a isso, minhas portas estão sempre abertas, ainda que tenha uma agenda apertada, para conversar. Só assim, acredito, podemos trabalhar honestamente juntos. Esse hábito aprendi com meus avós maternos, que também eram fazendeiros. Quando um peão da fazenda adoecia, era hospedado na casa deles até se curar. Com meu avô Antenor Duarte Vilella, que dá nome ao primeiro pavilhão que construí no HCB, aprendi que os nossos funcionários são a nossa segunda família.

## 5º PRINCÍPIO

*O administrador de um hospital deve ser um filantropo no sentido literal da palavra, isto é, uma pessoa que ama pessoas. E, preferencialmente, pertencer a outra área que não à Medicina.*

Existem pessoas que sabem cuidar de pessoas; mas isso nem sempre significa que elas amem, de fato, aqueles a quem servem. Podem fazê-lo simplesmente por obrigação, por exemplo. Na minha opinião, entretanto, a principal motivação de um gestor de saúde deve ser o amor. O trabalho voluntário, como o presenciamos no dia a dia do hospital, exemplifica isso de maneira plena. Não poderia falar de amor sem enaltecer essas pessoas aqui. São, portanto, uma inspiração para todo e qualquer gestor.

A segunda frase que completa este princípio tem o único objetivo de destacar algo que aprendi, a duras penas, em quase três décadas como gestor do HCB: um médico dificilmente denunciará um colega médico. Talvez porque ele próprio se coloque no lugar do colega, considerando que todos são igualmente passíveis de erro. Uma espécie de código de ética entre eles, acredito. Até meu pai tinha essa dificuldade. Acontece que uma falha dentro de um hospital exige medidas rápidas e enérgicas, do contrário, ela pode gerar outras até mais graves e em pouco tempo. A regra vale para todos os funcionários, dos serviços gerais aos altos escalões. Não quero que isso seja compreendido como uma crítica, e sim como uma constatação. É claro que existem exceções, porém, acho importante essa diferenciação de profissões/formações para manter a transparência da instituição.

## 6º PRINCÍPIO

*O administrador de um hospital deve estar atento aos quatro cantos da instituição, todos os dias e todas as horas, com o respaldo do departamento de ouvidoria.*

Quando assumi a direção do HCB, nos anos 1980, não existia oficialmente o departamento de ouvidoria. No entanto, eu tinha meus "olheiros" dentro do hospital, pois como sabia que era humanamente impossível estar em todos os lugares ao mesmo tempo e o tempo todo, contratei pessoas de fora para circular pela sala de espera e por outros setores com o objetivo de observar como os pacientes eram tratados. Sentiam dor? Tinham o que comer? Quanto tempo aguardavam até o atendimento? O setor foi criado, então, em 2003, com o intuito de conhecer e compreender as necessidades, as críticas e os elogios, não somente dos pacientes e de seus acompanhantes, como de funcionários, prestadores de serviço e voluntários. Com o crescimento do hospital, aliás, os olheiros sozinhos não dariam conta do desafio. Atualmente, com a profissionalização do departamento, consigo promover mudanças rápidas de modo que nosso serviço ganhe cada vez mais qualidade. Ainda hoje sou eu quem escolhe os ouvidores pessoalmente, tamanha a responsabilidade que credito a esses profissionais.

## 7º PRINCÍPIO
*O administrador de um hospital deve exigir que os chefes de todos os setores ensinem aos demais tudo o que sabem, com humildade e respeito por aqueles que sabem menos.*

Percebo que, em algumas empresas, a chefia privilegia os colaboradores mais próximos, aqueles com quem têm mais afinidade e/ou os chamados puxa-sacos. Entendo, porém, que os que ocupam cargos superiores são mais bem instruídos, razão também pela qual a remuneração deles é maior. Para mim, nada disso vale, contudo, se eles não forem humildes o suficiente para transferir seu conhecimento com os que sabem menos. Não tem essa de "ficar de salto alto", quando eu mesmo "ando descalço". O gestor deve ser o líder, e não apenas o chefe. Por sorte, sou abençoado em mais esse quesito no HCB, uma vez que minha chefia acolhe seus subordinados como se fossem seus pais.

## 8º PRINCÍPIO

*A equipe médica de um hospital de câncer deve trabalhar em período integral e com dedicação exclusiva, de modo que as decisões possam ser discutidas por uma equipe multidisciplinar e não isoladamente.*

Já visitei hospitais no mundo inteiro, em todos os continentes. Os maiores e melhores da oncologia atuam dessa forma. Provavelmente porque, quando o profissional tem vários empregos, a correria para atender a todos põe em risco a eficiência do trabalho. Tenho certeza de que nosso reconhecimento, dentro e fora do país, é consequência desse preceito. O tratamento do câncer não é como o de outras doenças, em que o paciente está liberado depois de uma única cirurgia. O problema pode até ser extirpado cirurgicamente, no entanto, o cirurgião deve discutir o prognóstico com uma equipe multidisciplinar, que envolve radiologista, nutricionista, fisioterapeuta, psicólogo, entre outros especialistas. A união de todos os profissionais é fundamental para obter êxito no tratamento, que pode levar meses ou anos, dependendo do caso. A dedicação exclusiva do profissional incentiva o atendimento humanizado, ao permitir que ele "gaste" o tempo que for preciso com cada paciente, e garante que ele tenha mais tempo livre para o estudo e a pesquisa científica (que ao lado do tratamento e da prevenção, é um dos pilares do HCB).

## 9º PRINCÍPIO

*O administrador de um hospital deve ler diariamente a parábola do bom samaritano.*

Simples assim. Para quem não entendeu o objetivo desse preceito, gostaria de relembrar aqui do que trata essa história contada pelo próprio Jesus Cristo no Evangelho de São Lucas (10,30-37). Resumidamente, fala sobre um homem que descia de Jerusalém para Jericó, quando foi espancado e assaltado na estrada. Por ali, cruzou um sacerdote. Este olhou o ferido, mas continuou em frente. Em seguida, surgiu um levita (como eram conhecidos os descendentes da tribo de Levi). Ele também seguiu seu rumo, sem dar bola para o homem semimorto deixado na via. Até que um samaritano (como eram chamados os que viviam na região da Samaria, considerados ateus na época), em viagem, teve piedade e o socorreu. Limpou-lhe as feridas, colocou-o sobre seu animal e, por fim, levou-o a uma hospedaria. Pediu ao dono do estabelecimento que cuidasse do doente, que ele pagaria as despesas na volta. "Vá e faça o mesmo", Jesus ensinou ao fim da narração. Ou seja, a única pessoa que se dignou a ajudar o necessitado foi um leigo, um estrangeiro, alguém de quem não se esperava ajuda. E é por isso que essa história me comove tanto: a responsabilidade de cuidar e de salvar vidas não cabe somente aos médicos ou aos religiosos, ela é de todos nós.

## 82 A PROVIDÊNCIA

### 10º PRINCÍPIO

*O administrador de um hospital deve confiar na misericórdia e na Providência Divina.*

No HCB, o milagre da multiplicação dos pães acontece todos os dias, pois, diariamente, servimos cerca de 7 mil refeições. Recentemente, nosso estoque de feijão estava quase acabando. A saída foi realizar, às pressas, uma campanha para arrecadar esse alimento. Contudo, dias antes de ela ser colocada em prática, recebemos uma doação de vinte caminhões de feijão de uma cidade vizinha. Esse é apenas um exemplo de como a Providência nos ampara. "Colecionamos" histórias semelhantes a essa em nossa trajetória, repito. Afinal, como uma empresa que trabalha com um déficit mensal de 20 milhões de reais consegue sobreviver? Somente pela fé. Por isso, diante dos obstáculos inerentes à gestão de uma instituição de saúde, confie em Deus. Se a sua obra for feita com e por amor, ela também terá as bênçãos dEle e será bem-sucedida.

### 11º PRINCÍPIO

*O administrador de um hospital deve oferecer tudo o que houver de melhor para o paciente, independentemente do preço.*

O último preceito, mas não menos importante, foi lembrança do doutor Serrano conforme falei no começo deste capítulo. De fato, quando um médico solicita um medicamento à direção, fazemos o possível e o impossível para consegui-lo, mesmo que não tenhamos os recursos financeiros necessários naquele momento. Não importando se ele é jovem ou já está no fim da vida, todos os pacientes têm o mesmo direito. É nosso dever fazer pelo doente o que faríamos a um membro de nossa família ou a nós mesmos, como falei. Trata-se de uma característica marcante em nosso hospital, que talvez não faça sentido para outras empresas. Por aqui, porém, sintetiza os valores nos quais acreditamos.

# CAPÍTULO 7

## Um teste de fé

Sempre fui uma máquina para trabalhar. Comecei cedo, quando ainda estava no colégio, na fazenda de meu avô paterno. Deixei a escola aos 15 anos para tornar-me pecuarista como ele. Ao assumir também a gestão do Hospital de Câncer de Barretos (HCB), quando já era um profissional bem-sucedido, aumentaram o meu fardo e o número de horas dedicadas ao trabalho naturalmente. Com uma saúde de ferro, cheguei a manter uma rotina de jornadas de quinze a dezoito horas, até o dia em que meu corpo finalmente reclamou.

No final de 2012, exatamente um ano após o lançamento do meu primeiro livro, *Acima de Tudo o Amor*, alguns problemas começaram a se acumular e a me tirar a paz. O primeiro deles estava relacionado ao credenciamento da unidade do nosso hospital em Jales (SP). Doze meses depois que abrimos o ambulatório, apesar do trato que havia feito com o governo, ainda estávamos operando sem verbas públicas — nem estaduais, nem federais. O resultado foi uma dívida de 36 milhões de reais, algo inédito na minha carreira de gestor de saúde. Sou audacioso, sim, mas jamais irresponsável a esse ponto. O valor era alto demais, mesmo para mim, que estou habituado a administrar déficits mensais em diversas frentes do HCB. Dezembro já estava chegando e eu não via solução para pagar o 13º dos funcionários da unidade de Jales. Como me deixei levar por conversa de político? Naquela mesma semana, um assunto pessoal, a operação de internalização por Fortaleza (CE) de um avião que eu havia importado dos Estados Unidos resultou na apreensão da aeronave pela Receita Federal. A aeronave, uma ferramenta de trabalho para mim, foi paralisada até segunda ordem sob a suspeita de que eu fora favorecido pelos benefícios fiscais da região. Como se não bastasse tudo isso, horas depois eu teria uma reunião com diretores do Instituto de Treinamento em Técnicas Minimamente Invasivas e Cirurgia Robótica (Ircad) com o objetivo de resolver um impasse também relacionado às finanças daquela filial. O instituto francês, um dos mais renomados em ensino e pesquisa de câncer no mundo, foi trazido por mim a Barretos em 2010, conforme contei no meu primeiro livro. Na época dessa reunião, encontrava-se com um déficit alto e, na minha concepção de gestor, era necessário fazer alguns cortes no orçamento. Como, por exemplo, algumas passagens de primeira classe pagas a médicos que vinham do exterior para lecionar ou participar de eventos no centro. O gasto com essas passagens era de 100 mil reais ao mês, por isso, a minha sugestão era que as viagens dos especialistas fossem realizadas na classe executiva. A medida, que parecia simples, no entanto, estava difícil de ser negociada. Tamanho foi o incômodo que, ao sair do encontro, senti fortes dores em ambos os braços, como se fossem uma luxação, acompanhadas de um súbito mal-estar. Eles ficaram estranhamente moles, ao passo que eu empalidecia.

Preocupado com a suspeita de o sintoma estar relacionado ao coração, liguei para o meu cardiologista na mesma hora. Ao chegar ao consultório, realizei um eletrocardiograma. O resultado apresentou uma alteração, por isso, achei melhor ir até São José do Rio Preto, onde há um grande centro de cardiologia. Lá, passei por um cateterismo, mas, por sorte, não foi necessária a colocação de *stents*. Fui e voltei guiando no mesmo dia, acompanhado do meu cardiologista. Como era esperado, o desconforto foi consequência do estresse elevado pelo qual havia passado diante de tantos problemas em um curto intervalo. Sorri aliviado e, a princípio, pareceu que estava tudo bem. A minha euforia durou pouco. Nos dias seguintes ao incidente, comecei a apresentar alguns sintomas emocionais. Qualquer dor que sentia, por mínima que fosse, como a pressão nos dedos dos pés depois de um dia com um sapato apertado, já suspeitava que pudesse estar ligada ao problema que tive no coração! Além disso, percebi que estava ansioso além do normal, com características semelhantes à síndrome do pânico. Se antes encarava uma reunião com médicos, fornecedores ou políticos sem titubear, passei a me acovardar. Não era medo, nem vontade de fugir dos problemas, apenas sentia que a minha pulsação acelerava demasiadamente nessas situações de estresse. Entendi que, infelizmente, meu coração outrora valente estava fragilizado.

Contei sobre o tal mal-estar para uma psiquiatra do hospital, a doutora Nelma Rodrigues, que me explicou que 5% das pessoas que são submetidas a um cateterismo tendem a apresentar esse tipo de reação. Fui premiado, pensei! A especialista recomendou que eu tomasse um calmante para conseguir tocar minha rotina no hospital. Dei razão a ela, ao menos para trabalhar eu usaria a medicação. Um remédio bem leve que, contudo, faria diferença nos compromissos do dia a dia. Usei, então, o medicamento por um período de seis meses.

Aos poucos, as coisas começaram a voltar ao normal. Em noventa dias, recebi uma boa notícia: o governo federal liberou a verba necessária para sanar a dívida do hospital em Jales. Solução que também credito à Providência Divina. O então Ministro da Saúde, Alexandre Padilha, honrou com a palavra dele, ainda que não houvesse nenhum documento oficial que garantisse o apoio do governo a mais essa obra do hospital naquela ocasião — o credenciamento oficial só viria tempos depois, em 2016. Em relação ao Ircad, ficou acordado que a direção do órgão na França assumiria a gestão por mais cinco anos (até 2016). Decisão que me exoneraria momentaneamente daquele impasse.

## UMA VIDA MAIS SAUDÁVEL

Há males que vêm para o bem, diz o ditado. No meu caso, as reações provocadas por uma crise de estresse trouxeram inúmeros frutos positivos. Hoje, sinto-me até privilegiado por essa oportunidade que recebi dos céus. O primeiro passo foi fazer o básico: mudei certos hábitos alimentares e passei a praticar mais exercícios físicos. Agora dou preferência a alimentos saudáveis no dia a dia e vou à academia ao menos quatro vezes por semana, não importando em que parte do mundo eu esteja. Estou mais disciplinado em relação a esses cuidados e é claro, também tive de reduzir a jornada de trabalho.

Antigamente, por exemplo, visitava minhas fazendas a cada sessenta ou noventa dias. Agora vou todo mês, exceto se surgir algum compromisso internacional de última hora. Nesse caso, não tenho como postergar, uma vez que as viagens ao exterior para resolver assuntos do hospital, que acontecem de três a quatro vezes ao ano, dependem da agenda dos centros e das pessoas que visito. As visitas às fazendas também são a trabalho, no entanto, encaro-as como lazer. Lidar com as demandas do gado, do campo e dos empregados, nessas ocasiões, é como tirar férias para mim. As pendências a serem resolvidas ali são diversão, costumo dizer. "Desligo da tomada" e, se perguntarem, nem lembro que sou o gestor do HCB. Pode até soar egoísta, porém, entendi que preciso estar bem, física e mentalmente, para gerenciá-lo da melhor maneira.

Outra bênção que recebi depois desse episódio, que acredito ter sido motivado por ele, foi a entrada do meu filho mais velho, Henrique Moraes Prata, para o hospital. Como destaquei no início do livro, ele já era meu consultor pessoal para assuntos relacionados principalmente à captação de recursos por meio de leis de incentivo, porém foi durante essa fase que aceitou de fato meu convite para trabalhar comigo. Por ser um profissional sério e correto, ele assumiu o Departamento de Responsabilidade Social com maestria. Sabe como ninguém, e certamente melhor do que eu, cumprir prazos e normas, além de responder corretamente a nossas fontes de captação sobre os recursos que recebemos. Assim, estou certo de que foi a Providência que o trouxe de corpo e alma ao nosso projeto.

Até o fatídico dia em que quase tive um ataque de pânico, acreditava ser imune a esse tipo de problema. Naquele momento, cheguei a confrontar a minha fé. Como algo assim poderia acometer alguém a serviço de Deus, afinal? Resolvi tornar público esse episódio de fraqueza para mostrar que, sim, todos somos vulneráveis. Especialmente se descuidarmos de nossa saúde, como eu fizera por anos. Com a humildade que me faltava, passei a entender que doenças mentais, como depressão e síndrome do pânico, estão longe de ser frescura. E, depois disso, agarrei-me ainda mais a Deus. Aceitei o que Ele havia preparado para mim, uma vez que também sou humano, e reencontrei o meu equilíbrio. Não foi um castigo, é claro, apenas a consequência de excessos que eu havia cometido. Talvez, ainda, um sofrimento necessário para um amadurecimento pessoal e espiritual que me prepararia para novos desafios. A medicação foi importante para a minha cura, contudo, tenho certeza de que o principal remédio foi a comunhão com Deus.

# CAPÍTULO 8

## A construção do Hospital de Câncer da Amazônia

Quando decidi ampliar nosso atendimento e criei a primeira unidade fora de Barretos, em Jales, metade do meu Conselho Administrativo foi contra. O grupo, que é formado por vinte experientes colaboradores do Hospital de Câncer de Barretos (HCB), ao qual consulto para assuntos estratégicos, tinha receio de que a distância dificultasse a administração do novo centro. Já a outra metade ficou em cima do muro. Eles achavam que eu poderia até colocar em risco o nome do hospital, caso algo desse errado. Entendi que, na verdade, havia também certo ciúme da parte de todos, como se fossem filhos mais velhos com medo de perder a atenção e a dedicação dos pais por causa do nascimento de irmãos mais novos. É claro que, em parte, a preocupação tinha razão de ser. Quem garantiria que conseguiríamos controlar e manter o nosso padrão de qualidade a 300 quilômetros de distância? No entanto, em primeiro lugar, eu penso no que é melhor para os pacientes, e só depois no que é melhor para mim ou para os médicos e demais

## 96 A PROVIDÊNCIA

funcionários. Sabia que a criação de uma unidade naquela região, que enviava aproximadamente 600 pacientes todos os dias para Barretos, ajudaria muita gente, além de "desafogar" a nossa sede. Assim, discordei e, à revelia, inaugurei uma unidade completa em Jales em 2010. É verdade que foram mais seis anos para conseguirmos o credenciamento da filial no Sistema Único de Saúde (SUS), o que viabiliza o repasse obrigatório de verbas destinadas à saúde para nossa instituição. Entretanto, quando percebi que meus planos foram bem-sucedidos, ganhei coragem para expandir ainda mais.

Atualmente, o HCB conta com catorze unidades. Além da sede principal, temos o Hospital São Judas Tadeu, para cuidados paliativos, o Hospital de Câncer Infantojuvenil, o Instituto de Ensino e Pesquisa (IEP) e o Instituto de Treinamento em Técnicas Minimamente Invasivas e Cirurgia Robótica (Ircad), todos em Barretos; o Hospital de Câncer em Jales (SP); o Instituto de Prevenção em Fernandópolis (SP); o Instituto de Prevenção em Juazeiro (BA); o Instituto de Prevenção em Campo Grande (MS); o Instituto de Prevenção em Ji-Paraná (RO); o Instituto de Prevenção em Nova Andradina (MS); o Instituto de Prevenção em Lagarto (PE); o Instituto de Prevenção em Campinas (SP) e o Hospital de Câncer de Porto Velho (RO). Temos, ainda, dezoito unidades móveis de prevenção e mais três obras em construção. E, assim, damos continuidade ao trabalho iniciado por meu pai, atuando em quatro pilares fundamentais no combate ao câncer: prevenção, tratamento, ensino e pesquisa em oncologia.

Na sequência de Jales, vieram as demais unidades que citei acima e, entre elas, destaco a reforma de um espaço junto ao Hospital de Base Dr. Ary Pinheiro, em Porto Velho (RO), em 2012, que foi chamado de Hospital de Câncer de Porto Velho. Com 1.200 metros quadrados, o "Barretinho", como é conhecido por ali, conta com serviço ambulatorial, oncologia clínica e centro cirúrgico, beneficiando aproximadamente 500 pacientes ao dia. Ainda assim, não atende toda a demanda do estado: recebemos cerca de 6 mil doentes daquela região em Barretos mensalmente. Muitos deles não têm nem o dinheiro da passagem, que dirá o suficiente para se hospedar e se manter em outra cidade a 2.800 mil quilômetros de distância. E além de deixar tudo para trás — casa, família, trabalho ou escola —, precisam recorrer à ajuda do governo, de parentes e amigos para viajar e enfrentar uma doença cujo tratamento pode levar meses ou até anos.

Boa parte dessas histórias termina com um final feliz, graças a Deus. Retratamos algumas delas livro *Acima de Tudo o Amor – Relatos* (de 2016). São narrativas de superação que enchem o coração de qualquer um de esperança, como a da dona Luiza Helena Félix, de Jaru (RO), que descobriu um câncer de mama em uma unidade móvel de prevenção e, ao longo do tratamento em Barretos acabou se tornando voluntária da Pastoral da Saúde. Mesmo assim, nunca me conformei com esse descaso em relação ao povo da Amazônia. A ideia de um ser humano ser obrigado a atravessar metade do país em busca da cura de um câncer esteve atravessada na minha garganta por quase trinta anos. Não mais. Em 2015, iniciamos a construção de uma unidade totalmente nova em Porto Velho, agora batizada de Hospital de Câncer da Amazônia. Graças à minha indignação, creio que recebi uma luz maior de Deus para acreditar que seria possível oferecer um tratamento digno ao povo daquela região, sem ter de separá-los de seus entes queridos. E a Providência, como sempre, fez por onde. Incluiu no meu caminho pessoas maravilhosas que estão tornando esse sonho realidade, como vou contar a seguir.

## EFEITO DOMINÓ

Se quando decidi fazer a unidade do HCB em Jales fui desacreditado pelo meu conselho, imagine o que não ouvi ao anunciar que ia abrir uma unidade em Rondônia. Além de todos terem votado contra, ainda foram até minha mãe, que era presidente do Conselho, para conseguir o 21º voto. Dessa vez, alegaram que eu estava sobrecarregado demais para administrar mais um hospital sem receita. No entanto, tal qual ocorreu na criação da unidade de Jales, recebi apoio de uma ala de médicos mais jovens, que se deslocaram até lá para tocar o hospital nos primeiros anos. Alguns deles se comprometeram a ficar por apenas doze meses, quando iniciamos o atendimento na ala reformada junto ao Hospital de Base, porém estenderam o prazo ao perceber que seus préstimos seriam necessários por mais tempo. As pessoas que imaginei que poderiam me ajudar em mais essa obra se opuseram. No entanto, outras mãos apareceram para me socorrer. Geralmente é assim que acontece. Porque, no fim das contas, não sou eu quem as escolhe. São os desígnios de Deus.

Passados dois anos da inauguração dessa unidade em Porto Velho, o empresário Enrique Egea Pacheco, atual vice-presidente da cooperativa financeira Sicoob (Sistema de Cooperativas de Crédito do Brasil) Norte, entrou em contato comigo a fim de fazer uma doação ao HCB. Ele recebera meu livro de presente de Raquel Keller, da diretoria administrativa do Hospital de Câncer de Porto Velho. A instituição já participava ativamente de diversos eventos em prol do hospital, como McDia Feliz e a Caminhada Passos que Salvam. Fui, então, ao encontro de Pacheco e dos demais diretores do Sicoob naquela região. Soube que ele teve a iniciativa de comprar mais vinte unidades do meu livro, os quais distribuiu entre o grupo. Disseram-me que foram tocados pela minha história, em resumo, pela possibilidade de fazer algo pelo próximo sem esperar ajuda. Chegando lá, perguntaram-me sobre o novo projeto que o HCB estava desenvolvendo na região, interessados em participar. Logo de início, doaram 1,800 milhão de reais para o hospital, com a promessa de aumentar o montante no ano seguinte. Em resposta, garanti que era o suficiente para iniciarmos a obra, a começar pelo ambulatório. Até porque já havia outro empresário, por coincidência amigo de Pacheco, que

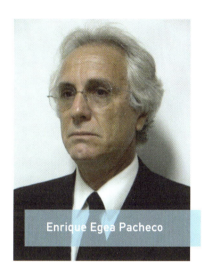

Enrique Egea Pacheco

também tomou a iniciativa de nos procurar, na mesma época, com o mesmo objetivo.

A fim de agradecer à doação do Sicoob Norte, meu filho Henrique, diretor de Responsabilidade Social do HCB, foi até Manaus (AM) em setembro de 2014 para participar de um evento da instituição em conjunto com o Sistema de Crédito Cooperativo (Sicredi) e o Cooperativa de Crédito (Cocred). Depois de apresentar uma palestra sobre o nosso trabalho aos participantes do evento e falar sobre o projeto do novo hospital, Henrique foi abordado em nosso estande pelo empresário Luiz Gastaldi Junior, presidente do Grupo Nova Era, de Rondônia. Ele lhe disse que havia lido o meu livro e gostaria muito de me conhecer. O encontro entre nós foi arranjado algumas semanas depois também em Porto Velho. Gastaldi me contou, então, que comprara meu livro no aeroporto de São Paulo a caminho de Manaus. Durante as três horas de duração do voo, ele o leu sem interrupções, até a metade. Chegando em casa, terminou a leitura naquela mesma madrugada, por volta das 5 da manhã.

Luiz Gastaldi

Não contente, comprou mil unidades do livro e as distribuiu entre amigos e fornecedores, juntamente com uma carta sua, aos quais pediu que montassem uma carteira de investimentos em prol do hospital. E, bastante emocionado ao me conhecer, disse-me que a história plantou uma semente de amor em seu coração. Na mesma hora me ofereceu uma doação de 1 milhão de reais, que posteriormente foram destinados à construção do centro de tratamento de quimioterapia. "Quero que outras pessoas enxerguem nessa obra o que enxerguei, ou seja, que nós, leigos, também podemos salvar vidas. Que mesmo que um projeto como esse não tenha lucro, ele tem vida! Para um empresário, isso é inconcebível, mas para Deus, tudo se torna possível. E você presencia isso no seu dia a dia", completou. Entendi que aquilo era um sinal da Providência para eu acreditar que, sim, a Amazônia teria o hospital nas dimensões que merecia.

Henrique Prata e Luiz Gastaldi

Já estava satisfeito com essas doações, que seriam o suficiente para começarmos as obras no ano seguinte, após as estações das chuvas. Em agosto, fomos surpreendidos com a arrecadação do show do cantor norte-americano Garth Brooks na Festa do Peão, além do que esperávamos, num total de 6.400 milhões de reais. O valor foi revertido para a construção da internação do novo hospital, com capacidade para 120 leitos, que será batizada com o nome da mãe de Brooks — pelo pouco que contei dele, vocês já devem imaginar que ele se mostrou contrário a minha decisão, tamanha a sua simplicidade!

Essa parte da obra teve início em outubro de 2015, mas sem pressa, visto que a internação depende do centro cirúrgico e da UTI para funcionar. Assim, não tinha por que correr, uma vez que, sem o capital para construir as demais alas, ela se transformaria num elefante branco. Entretanto, na mesma época, fomos procurados por um empresário de Ji-Paraná (RO), Robson Guimarães, diretor-geral da Bigsal Nutrição Animal. Como vivia em Ji-Paraná e sua esposa e seus

Da esquerda para a direita: Henrique Moraes Prata, Robson Guimarães, Nathalia Ribeiro e Henrique Prata

filhos no Sul, em Florianópolis, ele foi, numa de suas idas e vindas, até Barretos para conhecer de perto o hospital. Era um rapaz jovem, na casa dos 40 anos, de sorriso contagiante. Os pais dele foram daqueles "bandeirantes" que chegaram a Rondônia nos anos 1970, onde fizeram fortuna. Guimarães, por sua vez, multiplicou a herança da família com a fábrica de alimentos. Quando nos encontramos, ele me disse que já havia conquistado muitas coisas na vida, mas que nunca havia ajudado ninguém. Aquilo o angustiava. Por isso, sentia que o HCB era a oportunidade que lhe faltava para servir a Deus, retribuindo tudo o que recebera. Pedi, então, que me arrumasse o dinheiro para o nosso centro cirúrgico. No entanto, ele foi além: queria que todos os seus funcionários o seguissem igualmente, por vontade própria. Pois o dinheiro, dizia, também pode fazer mal. Quero que aprendam isso, do mesmo modo que eu aprendi. Inteligente, Guimarães criou um sistema na Bigsal para que uma porcentagem dos bônus que os empregados recebiam fosse doada ao hospital. As doações dos empregados foram, a partir daí, relacionadas ao resultado das vendas. E não é que, quem sabe motivados pela nossa causa, as vendas aumentaram de 10% a 15% naquele ano? Recebemos, então, um total de 3,5 milhões de reais da Bigsal, reservados ao centro cirúrgico. Em 15 janeiro de 2016, fiz uma palestra na empresa atendendo a pedidos. Guimarães estava radiante, feito criança em dia de Natal. Vinte dias depois, ele faleceu em um acidente de avião em Florianópolis (SC), deixando entre nós essa lição de humildade que jamais esqueceremos.

E assim, como num efeito dominó, as doações continuaram a surgir. A quarta grande contribuição veio do empresário João Gonçalves, da Irmãos Gonçalves Supermercados. Apresentei o projeto a ele durante uma reunião, mas nem precisei falar muito. Como a sogra dele se tratou em Barretos, ele já conhecia nosso trabalho. "Nunca tive a oportunidade de contribuir com a sua obra, Henrique, porém, já o ouvi em uma palestra falando sobre a importância de fazermos por nós mesmos, sem esperar a ajuda de terceiros de braços cruzados. Não quero ficar de fora! O que posso fazer para ajudar?", afirmou. Contei que ainda precisávamos da UTI e ele, de pronto, se dispôs a construí-la. Literalmente! Como a rede tem dezenas de lojas espalhadas pelo estado de Rondônia, ele ofereceu seu departamento de engenharia para tocar essa parte do projeto, o que aceitamos de bom grado. Depois de seu João, contamos com o apoio da Mirandex Vidros Especiais, a maior empresa do ramo vidreiro da região norte do país. Eles nos doaram todo o vidro necessário para a obra até o momento, por isso, achamos justo retribuir a ajuda batizando com o nome deles a ala da radiologia.

Não posso deixar de enaltecer, por último, o suporte que recebemos do povo de Rondônia. Em 35 anos de história, o estado progrediu

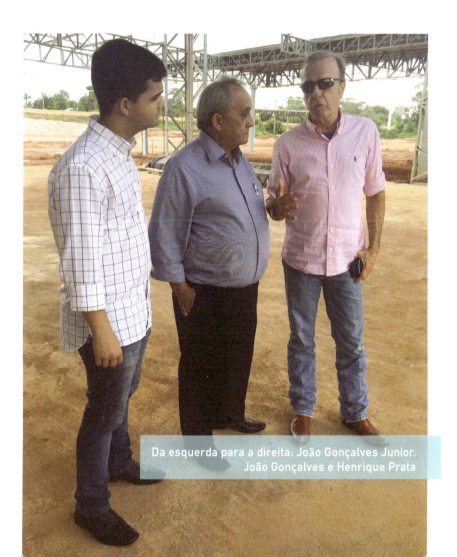

Da esquerda para a direita: João Gonçalves Junior, João Gonçalves e Henrique Prata

motivado por diversas ondas migratórias de outras regiões do país. É visível esse senso de gratidão que a população dali tem pela terra que a acolheu, como destaca meu filho Henrique. "Como você explica que 100% dos 52 municípios do estado realizem leilões em prol do HCB? Tanto que a maior parte das doações que recebemos vem de Rondônia, o que já acontecia mesmo antes do início desse novo projeto. Sinto que eles fazem questão de devolver para o estado tudo o que receberam: o Hospital de Câncer da Amazônia é prova disso. Sem falar da criatividade do povo. Sempre trazem ideias inovadoras no que diz respeito à arrecadação de recursos para o HCB. Um exemplo de amor a ser copiado pelos demais estados do Brasil", diz. Meu filho Henrique costuma dizer, aliás, que se os estados do Brasil tivessem uma frase ou um slogan que os representasse, como acontece com os estados norte-americanos, a palavra que definiria Rondônia seria generosidade.

## NO MEIO DO CAMINHO, HAVIA UMA CURVA

O Hospital de Câncer da Amazônia, como falei, era um sonho antigo. A princípio, faríamos a unidade atrás do Hospital de Base, num terreno de 20 mil metros quadrados que seria doado pelo governo estadual. À medida que as doações foram se concretizando, no entanto, decidimos partir para uma obra maior. Comecei, então, a buscar um terreno adequado. No sexto lote que visitei, entendi que dentro da cidade não havia um local nas dimensões que desejávamos, por isso, iniciamos a busca por uma área mais afastada. Quem

Da esquerda para a direita: doutor Charles Martins, promotor de justiça responsável pela liberação do CNPJ de Porto Velho, Henrique Prata e André Tadeu

me ajudou nessa missão foi o empresário André Tadeu dos Santos. André tinha um terreno de 70 mil metros quadrados localizado na BR-364, nas imediações da cidade, perfeito para a nossa construção. Ele nos doou o terreno gentilmente, feliz porque dizia crer que, além de tudo, aquela obra traria grande progresso à região. Já com as fontes de dinheiro promissoras e um terreno doado à mão, era o momento oportuno para iniciarmos a planta do projeto. Em menos de sessenta dias, as máquinas já faziam a terraplenagem da área. Fiz questão de deixar parte da mata intacta, pois uma ala do hospital receberá povos indígenas locais, que assim vão continuar em contato com a natureza ao longo do tratamento. Após o desmatamento do terreno, no entanto, observei que a entrada do hospital

HCB Amazônia

teria de ficar de costas para a rodovia, por causa de uma curva — essa defasagem pode ser vista nas fotos da obra. A única saída seria comprar o terreno ao lado, de aproximadamente 30 mil metros quadrados. Conversei com o André, que logo solucionou o problema: a área ao lado do futuro hospital pertencia a um amigo e xará dele, o empresário André Nakai. E tratou de agendar uma reunião com o amigo em poucas horas.

Nem cogitei em pedir uma doação, até porque o nosso pedido era urgente. Chegando à reunião com Nakai, contudo, ele me disse que a mãe dele lera o meu livro e me admirava muito. "Perdemos o nosso pai para o câncer e, atualmente, meu irmão também está

Da esquerda para a direita: Henrique Prata, André Nakai e Amadeu Machado

Fernanda Aurélia Nakai Ribeiro, mãe de André Nakai

lutando contra a doença. Esteja certo de que nossa família vai doar esse terreno para você", completou. E na sequência, abriu a planta do terreno e me mostrou algo que me deixou de queixo caído. Ele tinha quatro terrenos naquela área com a mesma metragem, ou seja, 30 mil metros quadrados. Três deles já tinham um destino. Mas o quarto, que era exatamente da mesma largura e do mesmo comprimento e ficava ao lado do nosso terreno, estava vago. Na planta que Nakai me mostrou estava escrito apenas: projeto futuro. "A gente não tinha o que fazer com esse terreno. Acho que era para ser seu mesmo", brincou. Logo em seguida, coloquei as máquinas para trabalhar, mais feliz do que nunca, pois o projeto ficaria exatamente do jeito que eu sonhara: horizontal e retangular, de frente para a rodovia. A Providência, mais uma vez, mostrava que estava ao meu lado.

### QUEBRA DE PARADIGMAS

Assim que comecei a levantar o primeiro prédio do novo hospital, tive uma discussão séria com o Ministério da Saúde. O Hospital de Câncer de Porto Velho estava inscrito em um programa de doação de diversos aceleradores lineares (equipamentos de alta tecnologia que emitem radiação nos tratamentos de radioterapia) pelo país afora. No entanto, quando finalmente o estado de Rondônia foi contemplado com uma unidade do aparelho, tentamos transferi-lo para a sede nova já em construção. Não apenas porque ela seria o principal serviço oncológico de Rondônia, como também porque a presença do aparelho em nossa nova unidade seria condição essencial para o processo de credenciamento dessa unidade no SUS. Embora tivéssemos o apoio do governador, Confúcio Moura, a Secretaria de Saúde era contra. Ele me ajudou a intervir às pressas diretamente com o então Ministro da Saúde, Marcelo Castro, em dezembro de 2015, que acatou nosso pedido de cancelamento da transferência do acelerador. Por fim, nenhuma das unidades ganhou o acelerador, mas ao menos ele não foi doado a outras empresas privadas que também estavam na disputa pelo credenciamento. Conseguimos o nosso aparelho com recursos próprios, porém, mais adiante.

As obras do Hospital de Câncer da Amazônia continuam a pleno vapor. Quando estiver totalmente pronta, a unidade realizará atendimentos ambulatoriais e hospitalares nos departamentos de Quimioterapia, Radioterapia, Medicina Nuclear, Fisioterapia, Pequena Cirurgia, Hospital Dia, Endoscopia, Centro Cirúrgico, UTI, Radiologia, Ambulatório e Internação Geral, Pediátrica e Indígena. Desde o início, tenho recebido o apoio de Raquel e de Jean Negreiros (também da diretoria administrativa do Hospital de Câncer de

Porto Velho). Assim como eu, eles não veem a hora de nos mudarmos para a nossa nova sede. Aguardamos agora que o hospital seja credenciado como Centro de Assistência de Alta Complexidade em Oncologia (Cacon) para inaugurá-lo e iniciar nossas atividades. Ainda hoje, cinco anos depois do início da nossa unidade junto ao Hospital de Base, atuamos sem esse aval oficial do governo federal. Em razão de ainda não sermos Cacon, mantemos o Hospital de Câncer de Porto Velho com recursos próprios, além de uma verba cedida pelo governador Confúcio Moura por meio de um contrato de gestão. Creio que todos concordam, sobretudo em virtude da construção de um hospital totalmente novo, que já é hora de recebermos esse reconhecimento!

Para mim, o Hospital de Câncer da Amazônia, a 2.601 quilômetros de Barretos, representa uma quebra de paradigmas. É um tapa de luva para aqueles que acreditam que obras grandiosas como essa só podem ou devem ser construídas próximas aos grandes centros, onde estão os mais ricos e os mais poderosos. Estes, porém, não se tratam onde o povo se trata, certo? Acredito que até agora nenhum governante levou tamanha obra adiante simplesmente porque não quis, porque não teve a preocupação verdadeira em melhorar a vida dos mais necessitados. Uma das razões de ser desse projeto está em provar que tudo é possível quando a Medicina faz uma aliança com Deus — e não com o dinheiro, como se vê por aí. E, pessoalmente, serviu para mim como uma injeção de otimismo.

Contudo, o que mais me surpreendeu, além das doações e do comprometimento da sociedade com o projeto, foi a velocidade com que se desenrolaram os fatos. As principais fontes de dinheiro começaram a surgir em 2014, a obra foi iniciada em 2015, com previsão de inauguração da primeira parte ainda neste ano da publicação deste livro, 2017. Repito, com fé, eu faço a minha parte e a Providência faz a dela. Muitas pessoas que contribuíram para que o Hospital de Câncer da Amazônia saísse do campo das ideias chegaram até mim por causa do meu primeiro livro, mais uma razão para eu dar continuidade a esse testemunho. Como diz aquele ditado, as palavras movem, mas os exemplos arrastam.

# CAPÍTULO 9

O credenciamento
das unidades de
Jales e Fernandópolis

Em 2013, a convite do então ministro da Saúde, Alexandre Padilha, fiz um discurso na Câmara dos Deputados, em Brasília, em defesa do programa Mais Médicos. A proposta do governo era aumentar a presença de médicos atuantes na rede pública de saúde em regiões carentes, permitindo a vinda de profissionais estrangeiros ou de brasileiros que se formaram no exterior. Entre os pilares do programa, estava ainda a ampliação de vagas na área de Medicina no país. De acordo com pesquisas que realizamos no Hospital de Câncer de Barretos (HCB), nos cerca de 300 municípios por onde passam nossas unidades móveis de prevenção — as famosas carretas —, a demanda era real. Sabia que não se tratava apenas de uma medida política, mas algo que traria benefícios ao povo brasileiro. Por isso, atendi à solicitação do ministro com a consciência tranquila. Acredito que minhas palavras tenham ajudado a convencer alguns dos deputados ainda descrentes em relação ao programa, e este foi aprovado e lançado, com sucesso, em julho daquele ano. Imaginava que em virtude disso poderia sofrer retaliações, especialmente da classe médica, mas não tanto.

As primeiras consequências começaram a surgir no ano seguinte. Observei que as nossas relações com a Secretaria de Saúde do Estado de São Paulo estavam diferentes. Se até ali tínhamos as portas abertas, por assim dizer, tive a impressão de que já não éramos mais bem-vindos. Dificuldade para marcar audiências e telefonemas sem respostas eram alguns dos sinais, a meu ver. Para piorar, em 18 de setembro de 2014, na abertura do 1º Simpósio Paulista de Oncologia (SPOnco), que reuniu os principais serviços oncológicos do estado, o secretário David Uip fez um pronunciamento no qual nos magoou profundamente. Em frente a uma plateia lotada de médicos, alguns dos quais eram do HCB, disse que uma de suas tarefas como gestor seria promover mudanças em uma famosa instituição do interior, que "aliciava" pacientes de outros estados por meio de suas carretas. Nossa atividade de prevenção, para ele, era uma injustiça, pois São Paulo não tinha de pagar o tratamento de doentes de outros estados. Dois de nossos profissionais chegaram a passar mal ao ouvir tamanha afronta. Foi uma tristeza constatar que a nossa parceria de anos com o governo estadual, reforçada por acordos com os governadores José Serra e Geraldo Alckmin, possivelmente sofreria danos a partir dali.

## CORTE DE VERBAS

Após esse episódio humilhante, imediatamente entrei em contato com a Secretaria de Saúde, por e-mail e por telefone, diversas vezes, a fim de pedir esclarecimentos, sem nenhum retorno. Em razão da gravidade do assunto, fui diretamente ao governador Geraldo Alckmin. Durante a reunião em novembro daquele ano, na qual estava acompanhado de meu filho Henrique, contei a ele que sentia que estava sendo discriminado e que nossas antigas boas relações seriam comprometidas. Pedi a ele que interviesse em nosso nome e saí de lá com a garantia de que medidas seriam tomadas. Entretanto, em janeiro do ano seguinte, período de renovação de nosso contrato no programa Pró Santa Casa, que foi criado na gestão de Serra para ajudar instituições filantrópicas que atendem somente pelo Sistema Único de Saúde (SUS), ficamos a ver navios. Encarei o fato como uma punição e, mais uma vez, recorri ao governador. Ele garantiu que o atraso seria resolvido em breve. Em março, porém, soubemos que diversas unidades de saúde beneficiadas pelo programa já tinham o contrato renovado, ao contrário do HCB. Acontece que essa verba equivalia a 1,5 milhão para a nossa filial em Jales e 3 milhões para Barretos, então, a falta dela significava um déficit de 4,5 milhões mensais em nosso orçamento.

Como a situação estava se tornando insustentável, tentei entrar em contato novamente com o governador Alckmin. Contudo, infelizmente, ele perdera o filho em um acidente de helicóptero em abril, o que atrasou em pelo menos dois meses nossa audiência. Quando, finalmente, nos encontramos, já fazia seis meses que a verba havia sido cortada. Expliquei que, se as coisas continuassem assim, teria de fechar a unidade de Jales e a de Fernandópolis. O

## 120 A PROVIDÊNCIA

governador determinou, então, que o contrato fosse renovado no mês seguinte. Contudo, havia um senão: por causa de um corte no orçamento, que também atingiu outros hospitais beneficiados pelo programa, passamos a receber 10% a menos daquele montante.

Passados dois meses, em setembro de 2015, consegui agendar uma reunião na Secretaria de Estado de Saúde do Estado de São Paulo, com a equipe técnica e também um representante do Conselho Estadual de Saúde, da qual participou também o secretário. No encontro, argumentei que na época da inauguração das unidades de Jales e de Fernandópolis, eu fizera um acordo com os governos estadual e federal. O combinado seria que eu receberia essa ajuda de 3 milhões para mantê-las até que o credenciamento fosse efetivado. Ou seja, o estado cobriria o que o SUS não pagasse. E, como estava demorando demais para recebermos o credenciamento, o ministro Padilha nos passou uma verba de 36 milhões em um momento crucial, para sanarmos as dívidas das unidades e seguirmos em frente, com paciência. "Mas agora o senhor entra e repassa o dinheiro para outro lugar, assim me quebra as pernas", completei. A resposta foi bastante ríspida. Para começar, disse que havia outras prioridades além do câncer, como as UTIs do estado. E quem decidia, afinal, era ele. Além disso, reforçou que não havia documentos que comprovassem aquele acordo anterior. O que, de fato, era verdade. E que, conforme relembra meu filho Henrique, que também estava presente na reunião, tornou-me mais cauteloso na parte documental em futuras negociações a partir de então.

O ano foi correndo e as dívidas aumentando. Em outubro, consegui uma nova reunião com o governador Alckmin. Ele foi até a unidade de Jales para fazer uma visita a uma parte nova do hospital. Convoquei o bispo da cidade, Dom Demétrio, para testemunhar o encontro, e tudo o que eu tinha de dizer a ele. De portas fechadas, abri o jogo. "Estou comendo o pão que o diabo amassou, não posso mais arcar sozinho com essas duas unidades, sendo que o nosso combinado foi outro." Eu precisava, com urgência, de pelo menos 10 milhões de reais para cobrir a dívida. A resposta foi de que o HCB receberia os 10 milhões de reais, parte desse valor por meio de uma emenda perante a Assembleia Legislativa de São Paulo, até o fim do ano; mas, novamente, a verba não foi liberada.

Entramos no ano de 2016 com poucas esperanças. Em fevereiro, com a ajuda do deputado Carlão Pignatari, de Votuporanga (SP), conseguimos a aprovação daquela emenda. Entretanto, dos 10 milhões de que precisávamos, recebemos somente 2,5 milhões. Reduzi custos em todas as unidades, num árduo trabalho com meus gestores, porém logo sabia que gastaria com o dissídio de funcionários e o aumento dos medicamentos, como acontece todos os anos. Nos trinta anos em que estive à frente do HCB, só abrira novas portas. Jamais as fechara. Naquele momento, apesar de toda a minha fé, teria de agir racionalmente.

## UMA VISITA ESPECIAL

Em 1º de junho, em uma coletiva de imprensa realizada em Fernandópolis, anunciei o fechamento da unidade do HCB naquela cidade dali a trinta dias. Foi um baque para a sociedade. Recebi muitas críticas. Acontece que a maioria das pessoas não sabia que eu havia tentado de tudo nos últimos dois anos e aquela era a única saída. Por meio da imprensa, o governo anunciou que faria uma auditoria nas unidades. O que, obviamente, não foi nenhum insulto para mim, uma vez que mantenho uma gestão honesta e transparente. Rebati as acusações de volta. Não tinha e não tenho "rabo preso" com ninguém, afinal. Em contrapartida, houve diversas manifestações a meu favor. Uma faxineira do hospital, a Maria Aparecida Soares, por exemplo, organizou uma passeata grande, com trio elétrico e cavaleiros, em Barretos. Durante os protestos, pedi apenas aos meus apoiadores que evitassem faixas ou cartazes com dizeres agressivos contra o governador, em consideração à nossa antiga parceria. Foi um mês difícil. Raramente dormia mais do que quatro, cinco horas, pois acordava no meio da noite remoendo os fatos.

Até que, em meados de junho de 2016, consegui uma audiência com o ministro da Saúde, Ricardo Barros. "Prata, você vai abrindo os hospitais sem medir as consequências", ele me disse. E eu tinha de entender que o tratamento de câncer não era prioridade para o governo. Pois de acordo com estudos realizados por cérebros inteligentes do Ministério da Saúde, um paciente de câncer custava o mesmo que 500 pacientes de atenção básica, e nem sempre ele conseguia ser curado. Respirei fundo e revidei da forma mais clara e objetiva que pude. Comecei falando que, era verdade, tinha de concordar com os dados do governo. No entanto, quando o paciente é submetido a um tratamento de ponta, com tudo o que há de melhor na Medicina, o resultado é outro. Citei como exemplo os casos de Ana Maria Braga, Reynaldo Gianecchini, Dilma Rousseff, Lula... Todos curados. Porque foram tratados com protocolos e medicamentos modernos. O que, obviamente, custa caro. É esse o tratamento que ofereço em Barretos. Do contrário, não seria honesto comigo mesmo, nem teria as bênçãos de Deus. "O senhor vai me desculpar, mas se o que o governo faz não tem efeito, é porque os remédios e os protocolos são antigos. Não existe uma política pública eficaz nesse setor. Nunca houve. Assim não tem conversa."

Somente os mais próximos sabiam da angústia que eu estava vivendo por aqueles dias. Entre eles, um de meus mentores espirituais, padre Fernando Tadeu. Imagino que ele tenha sofrido calado também, pois somos como irmãos. No mesmo dia em que tive a audiência com o ministro, ele acordou de sobressalto e teve a ideia de me dar de presente uma imagem de Nossa Senhora de Medjugorje, que havia trazido da Bósnia e Herzegovina. A imagem fazia uma peregrinação entre as casas da comunidade onde o padre atua, na capital paulista, fazia catorze anos. Dias depois, o padre apareceu em Barretos com a imagem. Fiquei emocionado. Em geral, distribuo os santos que recebo pelas salas e pelas capelas do HCB, porém aquela era mais do que especial. Guardei-a comigo em meu quarto. Naquela noite, havia uma festa junina na Cidade de Maria, evento que realizo todos os anos em prol daquela instituição. Cheguei em casa por volta das 22h30 e simplesmente apaguei. Acordei somente no dia seguinte, às 8h39. Acho que nem na minha lua de mel havia dormido tanto. Normalmente, se perco a hora, o dia começa cheio de atropelos, mas naquela manhã, acordei sereno. Aquela imagem trouxe a paz que me faltava. Era o primeiro sinal que a Providência me enviara.

Convidei minha mãe e minha irmã para almoçarmos juntos em minha casa naquele dia. Estava eufórico e queria dividir minha alegria com elas. Quando já estávamos nos preparando para sentar à mesa, recebi uma ligação de um amigo, o produtor rural Marcelo Galvão, de Ribeirão Preto (SP), que é voluntário do HCB. Convidei-o para se juntar a nós. Ele chegou acompanhado de outro amigo. Àquela altura, eu havia colocado a imagem na sala. O padre Fernando, que tinha passado a noite na minha casa, fez uma oração e fomos almoçar. Durante o almoço, contei ao Galvão sobre todo aquele impasse. A unidade de Fernandópolis seria fechada e a de Jales teria o número de atendimentos reduzido. Contudo, a visita de Nossa Senhora tinha acalmado meu coração. Aceitaria a minha derrota e seguiria adiante. Quando olhei para o amigo do Galvão, que ouvia a conversa em silêncio, percebi que ele estava com os olhos marejados. A Providência acabara de me enviar o segundo sinal.

## O MILAGRE DE SÃO PEDRO

Por "coincidência", o amigo do Galvão, que se chamava Fernando Desideri, era assessor do deputado Baleia Rossi, líder do PMDB na Câmara. Indignado, ele disse que pediria ajuda ao deputado para agendar uma reunião com o presidente Michel Temer, pois essa história não poderia acabar assim. Agradeci, no entanto, confesso que não botei fé. Três dias depois, porém, finalmente recebi uma boa notícia. O deputado Baleia me ligou para dizer que o presidente tinha apenas uma data para me receber: 29 de junho, às 15 horas. O que, para o padre Fernando, fora arranjo da Providência, pois o encontro aconteceria no Dia de São Pedro. E exatamente às 15 horas, na mesma hora em que o filho de Deus, em seu último ato de misericórdia, deu a vida por nós. Para completar, para nós, católicos, aquele era o Ano Santo da Misericórdia. Por isso, o padre sugeriu que eu levasse ao presidente um quadro de Jesus Misericordioso que ele mesmo me dera tempos atrás. Para quem não conhece a história, essa imagem surgiu nos anos 1930, pintada com base em uma visão de Santa Faustina, da Polônia. Saí à procura da imagem, que nem lembrava onde estava. E, no dia marcado, entrei no gabinete do presidente com ela guardada dentro de um embornal.

Assim que começou a reunião, perguntei ao presidente Temer se podia lhe fazer uma pergunta de cunho pessoal. Ele assentiu. Perguntei, então, se ele era um homem temente a Deus, pois gostaria de lhe dar um presente. Como ele disse que era e muito, ofereci a imagem e, na sequência, comecei a explicar a razão da minha visita. Falei também que tinha certeza de que não era coincidência, e sim a Providência que tinha me levado até ele, justamente no Dia de São Pedro, no Ano Santo da Misericórdia e às 15 horas. "Pois deve ter sido mesmo", ele afirmou. Anote aí o terceiro sinal da Providência: "Eu também sou devoto de São Pedro! Lá em Tietê (SP), onde

# 126 A PROVIDÊNCIA

nasci, havia uma igreja de São Pedro em frente à chácara de minha avó, a quem eu era muito apegado", continuou. "E ali fui batizado e fiz a Primeira Comunhão." Retomei a conversa, mas ele não me deixou terminar a história. Deve ter ouvido a metade do que contei ao Galvão e ao Desideri. Pegou o telefone de imediato e ligou ao ministro. "Eu quero o credenciamento desses dois hospitais amanhã", falou. E assim, em uma decisão sumária e pautada pelo coração, o presidente Temer garantiu que essas duas unidades do HCB, construídas pelo povo e para o povo, mantivessem suas portas abertas.

Ainda que tenha presenciado inúmeros milagres ao longo de minha gestão no HCB, esse me emociona especialmente. No momento em que fecharia uma porta pela primeira vez, o melhor amigo de Jesus teve a misericórdia de intervir por nós, agindo por meio de uma pessoa simples e desprovida de ego como o Desideri. Aprendi, mais uma vez, que temos de lutar até o último minuto, sempre confiando na Providência. Todos os dias, enfrentamos inúmeras dificuldades para manter nossas instituições abertas, oferecendo um tratamento digno e humanizado a todos os pacientes, independentemente de sua origem e classe social. E lutamos contra quem for preciso, pois a nossa missão é acolher os mais necessitados. Ao ler esse relato, espero que você consiga enxergar que o nosso hospital é uma obra de Deus. Eu, meu pai e meu filho, assim como os que virão depois de nós, somos apenas instrumentos nas mãos dEle.

# CAPÍTULO 10

## A criação do Centro de Pesquisa Molecular em Prevenção e da Unidade de Campinas

Entre 1974 e 2002 centenas de trabalhadores e moradores da região do bairro Recanto dos Pássaros, em Paulínia (SP), foram contaminados por substâncias cancerígenas oriundas de uma fábrica de pesticidas que pertenceu às multinacionais Shell e Basf. Em 2013, após longa batalha jurídica, o Ministério Público do Trabalho e as empresas fecharam um acordo em que, além de indenizações individuais aos trabalhadores, foi fixada indenização a título de danos morais coletivos no valor de 200 milhões de reais, o maior acordo firmado na Justiça do Trabalho deste país.

Ao saber que o Ministério Público do Trabalho indicaria instituições para serem beneficiadas com a indenização por danos morais coletivos, alguns médicos do Hospital de Câncer de Barretos (HCB) elaboraram e apresentaram um projeto ao Ministério Público. No entanto, só fiquei sabendo da intenção dos médicos no dia em que um Procurador do Trabalho e seu assessor jurídico se dirigiram ao Hospital para conhecer a Instituição.

## 130 A PROVIDÊNCIA

Por volta das 17 horas, dois médicos foram à minha sala mencionando superficialmente suas intenções e me convidaram para participar de uma reunião que ocorreria momentos depois. Disseram que não viram eco naquilo que haviam proposto, pois os membros da comissão se mostraram céticos e até frios. Entenderam que seria o caso de alguém mostrar do que o Hospital realmente trata e do amor envolvido em todos os seus atos. Que ninguém melhor do que eu para fazer isso. "Mas eu nem sei o que vocês estão propondo", respondi.

E eles completaram dizendo que o projeto era técnico e, assim, acharam melhor fazerem tudo sozinhos. Aqui tenho de fazer um *mea culpa*. Os médicos andavam um pouco chateados comigo porque as verbas que recebíamos para projetos, embora fossem divididas entre todos os setores, muitas vezes priorizavam assistencialismo e prevenção. As pesquisas acabavam ficando em segundo plano porque eu mirava em efeitos mais imediatos.

Desmarquei meu compromisso e aceitei o convite. É tudo pela mesma causa, pensei. "Contem comigo", disse.

Ao chegar à sala de reunião, tive a mesma sensação dos médicos. Ao longo da reunião contei a eles a maneira como trabalhamos no HCB, mostrando por que o Hospital é conhecido como o "Hospital do Amor" e quanto ainda precisávamos avançar na área de pesquisa.

Até então só havíamos alcançado a primeira e a segunda fase de nossos projetos de pesquisa, expliquei. A terceira fase, que envolve testes em cobaias, necessitava da construção de um biotério para a conservação dos animais, o que exigiria um capital maior, do qual não poderíamos dispor sem prejuízo das ações assistenciais.

Ainda que meu trabalho, naquela ocasião, fosse defender o projeto, percebi que havia alguns pontos que poderiam ser melhorados. Então, resolvi ser sincero. Contei que os médicos não haviam me submetido o projeto e que, agora, sabendo de suas intenções, estava disposto a melhorá-lo. Notei que o Procurador do Trabalho, doutor Ronaldo José de Lira e seu assessor, Wagner Konrad Amstalden, aprovaram minha transparência. Comecei a sentir que ali, despidos da posição de autoridade, estavam homens de Deus, nos quais eu podia confiar. A recíproca se mostrou verdadeira.

## UM PÉ NA PESQUISA E O OUTRO NA PREVENÇÃO

Passados quinze dias, recebi um telefonema do Ministério Público do Trabalho para comparecer a Campinas para tratar do projeto. Na ocasião, conhecendo a origem da verba e o sofrimento causado aos trabalhadores e à população de Paulínia, concluí que o projeto deveria ser reescrito.

A partir daí, no meu entendimento, a indenização também deveria evitar que outras pessoas, em semelhantes situações de contaminação, perdessem a vida.

"Você já tem uma ideia melhor? Quero saber qual é!", fui questionado.

De fato, e com a graça de Deus, eu tinha. Além do biotério eu acrescentaria um componente relacionado à prevenção, incluindo nossas unidades móveis (as famosas carretas do HCB), que levam médicos e uma sala para exames e pequenas cirurgias, com equipamento de ponta, diretamente à população, além de uma unidade de prevenção em Campinas.

Assim, depois de trocar algumas ideias com o doutor Ronaldo, chamei o oncologista Raphael Haikel Junior para fechar o projeto, enxugado em quase 30% e tornando-o ainda mais completo ao fim a que se destinava.

"Ponha no papel e traga-o para mim", finalizou o doutor Ronaldo.

Foi o que fizemos. Dias depois, o doutor Haikel e eu levamos o projeto com as modificações até Campinas. O doutor Ronaldo e outros procuradores aparentemente gostaram dos ajustes que realizamos, decidindo submeter o projeto à comissão.

Até brinquei com meus funcionários: acho que salvei a barra de vocês! Uns dois meses depois, em abril de 2015, após longa e tensa apresentação do projeto à comissão de Procuradores do Trabalho, recebemos a notícia que tanto esperávamos.

Apenas cinco projetos, entre mais de cinquenta inscritos, haviam sido aprovados. O projeto do HCB não apenas estava entre eles, mas havia sido contemplado com a maior parte da verba, 69,9 milhões de reais! A comissão de Procuradores, extremamente séria e rígida, aprovou nosso projeto e permitiu que iniciássemos a terceira fase de nosso projeto de pesquisa.

Da esquerda para a direita: doutor Rui Reis, Henrique Moraes Prata, Henrique Prata, Bispo Dom Milton Kenan Júnior, doutor Ronaldo José de Lira e Boian Petrov

Da esquerda para a direita: doutor Ronaldo José de Lira, Henrique Prata, Henrique Moraes Prata e doutor Rui Reis

Em menos de dois anos, em 24 de março de 2017, data em que o HCB completou 55 anos de história, inauguramos a primeira parte dessa obra: o Centro de Pesquisa Molecular em Prevenção. Entre as autoridades presentes estava o Procurador-Geral do Trabalho, doutor Ronaldo Curado Fleury, e a Subprocuradora-Geral do Trabalho, doutora Ivana Auxiliadora Mendonça dos Santos, além do doutor Ronaldo José de Lira e do Desembargador do Tribunal Regional do Trabalho da 15ª Região, doutor Edmundo Fraga Lopes.

Com o intuito de associar padrões genéticos e comportamentos a doenças oncológicas, trata-se de um centro inédito na América Latina. Funcionará integrado ao nosso Instituto de Ensino e Pesquisas que já desempenha estudos moleculares para casos de câncer em estágio avançado. Também permitirá a criação do maior banco de amostras (Biobanco) da América Latina, que poderá

Da esquerda para a direita: doutora Ivana Mendonça Santos, doutor Edmundo Fraga Lopes, doutor Ronaldo Fleury, doutora Lorena Amgarten, Sergio Reis e Guilherme Ávila, prefeito de Barretos

Da esquerda para a direita: Guilherme Ávila, doutora Ivana Mendonça Santos, Boian Petrov e doutor Ronaldo José de Lira

desenvolver medicamentos e coordenar ações e campanhas de educação e conscientização. Cinco carretas de prevenção atuarão na região, integrando esse trabalho. Por fim, ainda em 2017, também inauguraremos, com a mesma verba, um Instituto de Prevenção em Campinas, nos moldes de outras unidades que já mantemos. O HCB deu mais um passo para se tornar um centro completo de tratamento, prevenção e pesquisa de câncer. Tenho certeza de que os resultados alcançados neste projeto trarão muito orgulho ao nosso país e, ao oferecer uma chance de prevenção e cura, repararão, ao menos em parte, as injustiças sofridas por nosso povo.

Tudo isso, faço questão de ressaltar, graças à união de forças entre o HCB, o Ministério Público do Trabalho e o Tribunal Regional do Trabalho da 15ª Região. Para mim, isso comprova, mais uma vez, os caminhos da Providência. Enquanto eu pensava que ainda poderíamos levar dez, vinte anos para avançar nas fases de pesquisa sobre o câncer, uma oportunidade, vinda de Deus, surgiu "atropelando" meus planos e transformando mais um sonho em realidade.

Dessa história surgiram outras parcerias com o Ministério Público do Trabalho. A estatura moral e profissional desse órgão, que acreditou em nosso trabalho, fez surgir essa parceria inovadora, que muito nos orgulha, resultando em benefício para toda a sociedade. A nossa filosofia, de amor e proteção ao próximo, é idêntica àquela do Ministério Público do Trabalho, concluí.

"Nós nos empenhamos e agora prestamos contas ao povo, com a certeza absoluta de que esse montante será bem aplicado, com uma obra sem precedentes no Brasil", disse o Procurador do Trabalho, doutor Ronaldo José de Lira, no programa especial que gravamos por ocasião da inauguração do centro de pesquisa.

Não bastasse, houve ainda os que, depois de conhecerem o projeto, vieram até mim, sendo também tocados pelo meu primeiro livro, *Acima de Tudo o Amor*, como uma juíza do interior de São Paulo que comprou quinze unidades para distribuir entre amigos.

"A sua obra comprova que é possível tratar todos com igualdade, sem utopia", foi o que a juíza me disse antes de me dar um forte abraço.

Fachada do Centro de Pesquisa Molecular em Prevenção (Campinas-SP)

## 138 A PROVIDÊNCIA

Por muito tempo pensei que a classe mais próxima de Deus fosse a de padres, pastores e outros sacerdotes. Hoje sei que inúmeros procuradores do Trabalho, juízes, desembargadores e outras autoridades que aplicam as leis em nosso país também aqui se incluem, compartilhando os valores do hospital e sofrendo diante das injustiças que ainda não conseguem mudar.

Que este seja apenas o primeiro de muitos projetos, que certamente virão por meio da misericórdia divina, em prol do povo brasileiro.

# CAPÍTULO 11
## Convite à ação

*"Que os homens nos considerem, pois, como simples operários de Cristo e administradores de Deus. O que se exige dos administradores é que sejam fiéis"*

1 CORÍNTIOS 4,1-5

Termino este livro da mesma maneira que o comecei, ou seja, com uma visita ao querido amigo Frei Francisco, da Associação Lar São Francisco de Assis na Providência de Deus, em Jaci (SP). Ele, gentilmente, rezou uma missa em ação de graças pelo meu relato, com o intuito de que ele pudesse alcançar mais gente em prol de nossa causa. E chegando ao final deste testemunho, gostaria de reforçar duas coisas que, para mim, resumem a mensagem principal do livro. A primeira delas, como ressaltei ao longo das narrações, diz respeito às consequências de nossos atos. Todos seremos cobrados um dia pelo que fizemos, ou deixamos de fazer, aqui na Terra. Quanto maior o dom que Deus lhe deu, maior será o valor a ser pago, digamos assim. Porque se você possui a habilidade de enxergar mais longe, essa dádiva tem de ser usada para fazer o bem ao maior número de pessoas possível. Disso tenho convicção. Quando Jesus disse que era mais fácil passar o camelo pelo buraco de uma agulha do que o rico entrar no Reino de Deus, os

Frei Francisco e Henrique Prata

ensinamentos por trás dessa metáfora nos mostram o caminho a seguir. Os ricos podem multiplicar suas posses ainda mais no decorrer da vida, se tiverem capacidade para tanto; mas multiplicar para quem? Apenas para si mesmo e para os seus? Quem tem esse pensamento limitante pode se arrepender no futuro.

Não digo apenas do ponto de vista bíblico e/ou espiritual, mas se arrepender também por não ter sido feliz de verdade. Aqui entra o segundo ponto que queria ressaltar. Somos mais felizes quando conferimos um sentido maior a nossa existência, isto é, ao descobrir nossa missão. Meu filho Henrique, lembra que existem diversas pesquisas científicas que comprovam que o trabalho voluntário traz benefícios tanto para a saúde física quanto para a saúde mental de quem o pratica, reduzindo os índices de depressão e melhorando o funcionamento do coração, só para citar alguns exemplos. Se você vive pensando somente em si mesmo, talvez até esteja satisfeito. No entanto, esse tipo de felicidade, por maior que pareça, é medíocre em comparação àquilo que sentimos quando vivemos pelo bem comum. A alegria baseada em posses e consumismo representa um sentimento comprado, vazio, passageiro. Contudo, ao desejar o bem ao próximo da mesma forma que deseja para você, com ações e não apenas palavras, vai entender do que estou falando. É compensador ser pai ou mãe dos seus filhos, cuidando e fazendo o melhor por eles, certo? Imagine, então, ser pai ou mãe (ou irmã e irmão) de dezenas, centenas ou milhares de pessoas. Não falo apenas por mim, afinal, o objetivo deste livro não é enaltecer o meu trabalho. Naturalmente, em virtude do meu cargo, estou sempre na berlinda. Faz parte da minha lida. Entretanto, no Hospital de Câncer de Barretos (HCB), sou apenas um voluntário como outro qualquer. Um operário de Cristo, como no versículo que destaquei na abertura deste capítulo. E o sentimento ao qual me refiro, com frequência, encontro estampado no rosto dos demais (e inúmeros!) voluntários do hospital, com os quais tenho o prazer de compartilhar essa luta. O olhar, o sorriso e a disposição que apresentam é idêntica. O que faz uma pessoa pegar na mão de um doente para confortá-lo, estender-lhe um prato de comida ou ajudá-lo a se levantar de uma cadeira de rodas, dia após dia, sem ganhar um centavo em troca? A verdadeira felicidade. Aquela compartilhada pelos que viram a face de Deus.

## A SABEDORIA DO EVANGELHO

A cada história que concluía no livro, pensava: essa é a mais linda. Porque a cada bênção registrada, ficava mais uma vez comprovada em meu coração aquela sensação de amparo. A Providência aparecia nos momentos e nos lugares certos. Como se um milagre levasse a outro. Ainda não tenho certeza do tamanho de minhas incumbências, ou seja, até onde vamos chegar. Nem quando ou se elas vão acabar. Minha fé, que se traduz e se concretiza em minhas obras, é o principal legado que pretendo deixar. Elas são baseadas nas leis de Deus. Porque a dos homens, não raro, contemplam apenas os interesses dos poderosos. E ainda que sejam válidas para todos, nem sempre são aplicadas a todos. Por isso, para mim, têm o mesmo efeito que um risco na água. Digam o que quiserem: se as medidas contrariam aquilo em que acredito, como gestor e como cristão, não servem para o hospital. Ali tratamos a todas as pessoas sem distinção, independentemente de sua origem, religião ou classe social, uma vez que somos iguais perante Ele (Tiago 2,8).

Por essa razão somos conhecidos como o Hospital do Amor. Uma emoção que tem duas vias, na qual damos e recebemos de volta. Como pôde observar o empresário Edson Bueno, fundador da operadora de planos de saúde Amil, na visita que fez ao hospital no final de 2016, pouco antes de falecer. Acompanhados também do doutor Claudio Lottenberg, ex-presidente da Sociedade Beneficente Israelita Albert Einstein e atual presidente da Amil, caminhávamos pela unidade infantojuvenil quando fomos abordados pela mãe de um paciente. Fato corriqueiro toda vez que ando por aqueles corredores. Ela disse que queria muito que eu encontrasse o filho dela, que estava brincando por ali, porque ele gostava muito de mim. "Já o conhecia da TV e rezava pelo senhor antes mesmo de se tornar paciente", completou. "Hoje, diz que o ama ainda mais." Alguns minutos depois, no decorrer da visita, notei que um menino loiro e gordinho, exatamente como a mãe havia descrito, estava me encarando. E perguntei: "você que é a criança que reza pelo tio?" Ele confirmou e me deu um abraço apertado. Despedi-me do menino e, então, disse aos meus visitantes: "Pois é, nem sempre temos os recursos financeiros de que precisamos de imediato. Ainda assim, oferecemos um tratamento moderno e humanizado, com tecnologia de ponta, como vocês puderam ver com os próprios olhos. E, é claro, há amor de sobra — e o tempo inteiro. A cena que vocês presenciaram foi um telegrama direto de Deus, enviado por meio daquele anjo com o intuito de encher meu coração. A mensagem? Siga em frente! Faça o seu melhor. Não carece o dinheiro".

Ao olhar para trás, nesses quase trinta anos à frente do HCB, alegra-me perceber que mais acertamos do que erramos. Sou uma pessoa de poucos estudos. Também não tenho o hábito de ler, nem de acompanhar os noticiários com avidez. Atribuo o êxito de minha gestão ao que aprendo na leitura constante do Evangelho. Ali, encontro respostas para todas as questões. É a única cartilha que sigo. E a que recomendo a quem busca trabalhar e alcançar o sucesso honestamente. Despeço-me sem saber, de fato, qual foi realmente a história que mais comoveu. Todas são importantes na minha trajetória até aqui, que não foi fácil. Deixo que você, então, escolha a sua preferida. Com a esperança de que ela o leve a enxergar mais longe e a abraçar a missão que lhe foi reservada. Para entender que, mesmo em tempos de crise, como a que vivemos no país atualmente, tudo se resolve quando fazemos a nossa parte com retidão. Pois, repito, não há desculpa para não fazer o que é certo. Podemos enganar a família, a Justiça, a Igreja... mas nunca a Deus. Lembre-se de que Ele não escolhe os covardes. Seja qual for o obstáculo que atravessar o seu caminho, tenha um coração valente! Eu já sabia — e sentia — que não existia outra alternativa antes mesmo de me deparar com a carta de minha mãe. Por fim, concluo o manuscrito desta obra no mês em que o HCB completa 55 anos. O que o futuro nos reserva, só Deus sabe, mas de uma coisa tenho certeza, a Providência estará sempre conosco.

# POSFÁCIO

## Um Elias de nosso tempo

por

*padre Fernando Tadeu Barduzzi Tavares*

onheci Henrique Prata em uma visita ao Hospital de Câncer de Barretos (HCB) em 2013. Na ocasião, estava visitando a instituição e seus doentes com um superior, e Henrique veio nos receber. Na hora de irmos embora, para minha surpresa, ele me ofereceu uma carona. Ele se mostrou bastante interessado no meu trabalho, especialmente nos retiros espirituais que promovo com o intuito de ajudar pessoas a conhecerem a si mesmas e a curar seu coração. Ele me contou que havia feito o Caminho de Santiago de Compostela (rota de peregrinação espiritual na Espanha) anos antes, em 2011, experiência que o incentivou a escrever seu primeiro livro e que, naquele momento, era hora de dar mais um passo. Ele gostou da ideia de participar de um retiro do silêncio, no qual os fiéis permanecem cinco dias sem falar, totalmente desconectados do mundo. Confesso, porém, que jamais imaginei que me procuraria outra vez por ser um homem ocupado demais. No entanto, ele me ligou tempos depois disposto

150  A PROVIDÊNCIA

a participar. Numa das orações ao longo desse período de recolhimento, senti que algo do passado ressurgiria na vida de Henrique, trazendo-lhe a luz que ele procurava. E foi exatamente o que aconteceu. Na semana seguinte, ele reencontrou uma carta que a mãe, a doutora Scylla, havia escrito ao filho no dia em que ele completava 18 anos. Ela foi enviada com outros documentos que se encontravam com sua ex-esposa, mãe de seus 3 filhos: Henrique, Adriana e Antenor. Um gesto que, nas palavras dele, abriu um caminho para que o antigo casal se reaproximasse e voltassem a ser amigos outra vez. A mensagem da carta, conforme pode ser lida no início deste livro, era clara: a doutora Scylla tinha certeza, citando o Evangelho de Jesus Segundo São João, que o filho Henrique, dono de um coração valente, havia sido escolhido por Deus para uma missão especial. Aquelas palavras lhe trouxeram força para seguir adiante. A partir daí, embora ame e admire o HCB, entendi que Deus me enviou até aquela cidade não para trabalhar pelo hospital... E, sim, para ajudar Henrique, de modo que ele continuasse seu dever. Desde então, somos amigos e eu me tornei um de seus mentores espirituais. Por isso, fui designado por ele para contar como aconteceu o início dessa trajetória de fé.

## A PREPARAÇÃO PARA ALGO MAIOR

A primeira missão destinada por Deus à Henrique Prata veio anos antes do HCB. Trata-se da Cidade de Maria, um centro de formação e espiritualidade da Diocese de Barretos. Localizada nos arredores da cidade, ela abriga seis congregações religiosas voltadas à formação de religiosos e religiosas, além da Casa de Encontros e Retiros Dom Antonio Maria Mucciolo. Foi Dom Antonio, bispo de Barretos, quem idealizou o projeto, inaugurando-o em 5 de setembro de 1981. Na época, o líder espiritual — ao qual tive a honra de conceder o sacramento da eucaristia dois dias antes de sua morte, já no hospital, em 2014 — buscava uma pessoa para levar a obra adiante. O centro de formação tinha altíssimo custo de manutenção, por isso, o bispo sabia que precisaria de um administrador capacitado. O papel foi concedido ao então jovem Henrique Prata, que se tornou presidente da comissão de leigos da instituição, função que ocupa até hoje. As congregações cuidam das demandas de seus prédios, porém a comissão de leigos é responsável por gerir o espaço. "Buscar recursos financeiros para uma associação que cuida do espírito, neste mundo consumista que só se importa com o corpo, não é tarefa simples", disse-me Henrique. Por isso mesmo, não tenho dúvida de que essa experiência foi para ele uma espécie de teste para algo maior que ainda estaria por vir. "Um mês depois que assumi esse projeto, minha esposa me perguntou quando terminaria meu mandato. Repassei a dúvida a Dom Antonio, que respondeu: os chamados de Deus têm prazo para começar, mas não para terminar, meu filho. Vai depender dEle e de você", completou.

Assim, em 1985, conforme relatado no livro *Acima de Tudo o Amor*, ele foi procurado em seu escritório pelo pai, doutor Paulo

Prata, e algumas pessoas que tinham a intenção de ajudar o HCB, que estava passando por uma situação financeira complicada. O grupo trazia um projeto para fazer com que a instituição se tornasse viável e convocava Henrique para colocá-lo em prática. Nem mesmo a insistência do bispo Dom Antonio o fez mudar de ideia. Contudo, pouco tempo depois o doutor Paulo sofreu um infarto e o filho foi procurado novamente para cuidar da parte administrativa do negócio familiar. "Vou assumir até que ele saia do hospital. Depois é com ele, pois não é minha essa obra! E, Dom Antonio, peça a Deus que não leve meu pai, porque, se ele morrer, eu lhe garanto, fecho o hospital e ponho fogo nele", afirmou Henrique na época. No entanto, como Deus o dobrou! Dom Antonio não se deu por vencido e, mais adiante, chamou novamente Henrique para conversar sobre o hospital. "Duas vezes lhe pedimos e você negou. Agora vou falar como seu diretor espiritual e conselheiro: um filho tem de ajudar o pai na hora da necessidade. Então, hoje, você tem de diminuir seus negócios particulares e arrumar tempo para cuidar disso. Esqueça o hospital; a hora é de acudir o seu pai", disse o bispo a Henrique. Dessa vez, ele aceitou a tarefa, com a condição de que o amigo e mentor o apoiasse. Por meio de Dom Antonio, Henrique pôde enxergar seu dever como filho e cristão, não apenas assumindo o hospital para sanar as dívidas conforme prometera, mas também transformando-o numa referência no tratamento de câncer no Brasil e no mundo.

## QUANDO ELIAS CHAMA ELISEU

*"Partiu, pois, Elias dali e achou a Eliseu, filho de Safate, que andava lavrando com doze juntas de bois adiante dele; ele estava com a décima segunda parelha. Elias passou por ele, e lançou o seu manto sobre ele. Então deixou este os bois, correu após Elias, e disse: 'Deixa-me beijar a meu pai e a minha mãe, e então te seguirei'. Elias respondeu-lhe: 'Vai, e volta: pois já sabes o que fiz contigo'. Voltou Eliseu de seguir a Elias, tomou as juntas de bois, e os imolou, e com os aparelhos dos bois cozeu as carnes, e as deu ao povo, e as comeram. Então, se dispôs e seguiu a Elias, e o servia."*

I REIS 19,19-21

Cidade de Maria

Cidade de Maria

De acordo com o livro de Reis, no Antigo Testamento, Eliseu foi um fazendeiro que viveu em Israel. Certo dia, recebeu um chamado dos céus por meio do profeta Elias, conforme descrito na passagem bíblica acima. A Bíblia nos conta que, ao ser convocado por seu mestre Elias, Eliseu, assim como outros profetas que vieram antes e depois dele, teve de renunciar aos bens materiais para servir a Deus na Terra. Em hebraico, o nome Eliseu quer dizer "Deus é salvação" ou "Deus, sua salvação". De acordo com a Bíblia, além de ter sido um servo exemplar, Eliseu também realizou inúmeros milagres ao longo de sua existência. Essa história bíblica tem muitas semelhanças com a relação de Dom Antonio e Henrique Prata. Algo de que Henrique só se deu conta aproximadamente três décadas depois de ter aceitado seu "chamado".

A descoberta aconteceu em uma missa dominical realizada na Igreja do Rosário, em Barretos, em 2016. A mesma em que está enterrado o Padre André Bortolameotti, que, ao lado de Dom Antonio, foi um dos primeiros mentores espirituais de Henrique. Ao ouvir a Primeira Leitura, cujo trecho reproduzimos acima, Henrique se identificou de imediato com o profeta Eliseu. Na mesma hora, ele entendeu também o papel que Dom Antonio, a quem considerava um pai, desempenhou em sua jornada rumo ao serviço de Deus. Como fui monge antes de me tornar padre, Henrique sabe do meu conhecimento semântico da Bíblia. Por isso, convidou-me para debater o assunto dias depois do ocorrido. Durante um almoço, conversamos sobre diferentes profetas e tipos de chamado, assim como sobre o que eles significavam. São Pedro, por exemplo, foi chamado por Jesus com a seguinte frase *"doravante serás pescador de homens"* (Lucas 5,11). Este versículo, conforme expliquei a Henrique, também é traduzido do grego (uma das línguas na qual a Bíblia foi escrita originalmente) como "pescador de humanidade". O que pode ser interpretado, ainda, como evocar o que há de bom no coração dos homens. Essas curiosidades aumentaram o interesse de Henrique, que buscava traduzir, naquele momento, seus sentimentos e suas descobertas pessoais na Sagrada Escritura. Foi aí que ele entendeu que Dom Antonio, homem sábio como Elias, procurava um discípulo a fim de prepará-lo para grandes obras — e descobriu em Henrique o seu Eliseu. Ao meditar sobre a vida desse profeta, de fato, podemos mesmo encontrar entre Henrique e o profeta "coincidências" marcantes.

Elias era um homem itinerante e, por onde passava, denunciava o politeísmo e proclamava a palavra de Deus. Era sua missão manifestar o poder do Deus único e verdadeiro diante do povo. Como estava envelhecendo, entretanto, Deus lhe ordenou que ungisse outro profeta para lhe suceder: *"A Eliseu, filho de Safate [...] ungirás profeta em seu lugar."* (I Reis 19,16). Já Eliseu vinha de uma família de fazendeiros, assim como Henrique. O pai de Eliseu era um rico fazendeiro. Temente a Deus, jamais dobrou o joelho perante Baal ou outros deuses adorados naquele tempo. Assim, o menino foi educado na fé de seus pais. Tornou-se um homem simples, porém sábio, enérgico e reconciliador. E, tal qual seus pais, dono de uma fé inabalável. Não tinha títulos nobres, no entanto, sua nobreza estava em seu coração, que amava a Deus sobre todas as coisas e estava disposto a dar o melhor de si para ajudar o próximo. Homem de grande humildade e labuta diária que, a cada dia, ganhava força em seu ministério profético com sua pureza para fazer aquilo que lhe foi designado. Eliseu ajudava seu pai na fazenda e, depois, serviu também a seu mestre Elias, preparando-se para encargos mais pesados. O mesmo ocorreu com Henrique: teve o exemplo de fé de seus pais, o doutor Paulo e a doutora Scylla; aprendeu a ser fazendeiro com seu avô materno, o senhor Antenor Duarte Villela, e mais tarde tornou-se presidente da Cidade de Maria, a pedido de Dom Antonio, onde ganhou experiência e capacitação para um desafio maior.

Jogar o manto, no sentido teológico, é algo mais profundo. No mundo bíblico, o manto significa a personalidade de quem o veste. Assim, quando Elias jogou o manto sobre Eliseu, quis lhe mostrar que, a partir daquele instante, ele se tornaria seu seguidor. É como se Elias desse a Eliseu tanto o seu poder quanto a sua missão de anunciar a chegada do Reino de Deus. Para mim, quando Dom Antonio convocou Henrique, viu nele sua essência e seu coração, enfim, o que ele poderia dar de melhor para Deus e para seus irmãos. Acreditou e fez com que ele acreditasse que seria capaz de doar-se a causas mais nobres do que a vida de fazendeiro. Além da Cidade de Maria, Jesus lhe deu, por meio de Dom Antonio, uma enorme incumbência: conquistar outros corações a fim de que também acreditassem que podem salvar vidas, ainda que não sejam médicos.

Não tenho dúvida de que o HCB seja resultado da Providência Divina e que, sobre Henrique, paire o Espírito Santo. Até porque considero humanamente impossível conduzir aquela instituição (e todas as provações inerentes a essa função) da maneira como ele o faz. Ali, ainda que o conhecimento científico se destaque, o amor constitui o principal elemento, pois só amor cura e salva por completo. Com base nesse chamado, tenho fé de que esse remédio milagroso e sem efeitos colaterais usado em largas doses naquela instituição se multiplicará tal qual os exemplos e milagres do profeta Eliseu.

UNIDADE DE PREVENÇÃO
PALMAS (TO)
(FUTURAS INSTALAÇÕES)

UNIDADE DE PREVENÇÃO
LAGARTO (SE)

FOTO: ASSOCIADOS DO TURISMO
UNIDADE DE PREVENÇÃO
JUAZEIRO (BA)

HOSPITAL SÃO JUDAS TADEU (Unidade Cuidados Paliativos)
BARRETOS (SP)

HOSPITAL DE CÂNCER
BARRETOS (SP)

IRCAD AMÉRICA LATINA
BARRETOS (SP)

HOSPITAL INFANTOJUVENIL
BARRETOS (SP)

UNIDADE DE PREVENÇÃO
FERNANDÓPOLIS (SP)

UNIDADE DE PREVENÇÃO
CAMPINAS (SP)
(FUTURAS INSTALAÇÕES)

**LEIA TAMBÉM:**

**ACIMA DE TUDO O AMOR**

*Como a fé e a solidariedade construíram o maior polo de referência nacional na luta contra o câncer*

**ACIMA DE TUDO O AMOR: RELATOS**

*As pessoas que fazem história no maior polo de luta contra o câncer do Brasil*

Este livro foi impresso pela gráfica Rettec em papel offset 120 g.